EDVARD MUNCH

1 FORET. 1903

EDVARD MUNCH
PEINTURES – ESQUISSES – ETUDES

Par

ARNE EGGUM

Traduit du norvégien par Marie-Claire Schjöth-Iversen et Catherine Parodi

BERGGRUEN PARIS

Impression et reliure:
FABRITIUS A.S., Norvège.

Photographie: Svein Andersen pour le musée Munch
et O. Væring.

Maquette: Kai Övre.

ISBN 2-904772-00-6

*L'auteur tient à exprimer ses remerciements à
Leif Östby, prestigieux doyen de l'histoire de
l'art norvégienne, qui a bien voulu relire le
manuscrit de cet ouvrage et l'enrichir de ses
conseils. Il remercie également Ingebjörg
Gunnarson, conservateur assistant, pour sa
compétente collaboration et manifeste une
reconnaissance toute particulière à Sissel
Biörnstad, bibliothécaire du musée Munch,
dont l'aide a été inappréciable.*

PREFACE

*Inauguré en mai 1963, le musée Edvard Munch abrite l'exceptionnelle
collection qu'à sa mort en janvier 1944 le peintre a léguée à la ville d'Oslo.
S'y trouvent aujourd'hui conservés plus de 1 100 peintures, près de 6 000
esquisses, dessins et aquarelles, environ 18 000 gravures ainsi qu'une
importante collection de manuscrits, lettres, photographies et autres documents.
Cette extraordinaire richesse permet de classer sans conteste le musée Munch
au premier rang de ceux qui sont, de par le monde, consacrés à la vie et à
l'œuvre d'un grand artiste contemporain. Les collections ne sont pas
cantonnées dans les salles du musée mais de nombreuses expositions et
publications permettent de les faire connaître à l'étranger.*

*Le livre d'Arne Eggum présente un panorama très complet de l'œuvre de
Munch que viennent étayer de nombreuses illustrations d'œuvres choisies pour
la plupart dans les collections du musée. L'auteur, qui en est le Conservateur
en chef, bénéficie depuis de longues années d'une position exceptionnelle:
l'analyse approfondie de tous les documents que ses fonctions l'ont amené à
étudier lui a permis d'élaborer un vaste système de références qui s'est encore
précisé et affiné dans les travaux réalisés ces dernières années à l'occasion
d'expositions récentes en Norvège ou à l'étranger. Ainsi nous livre-t-il dans la
monographie publiée aujourd'hui une importante moisson d'éléments
nouveaux qui éclairent la vie ainsi que l'œuvre d'Edvard Munch et
permettent de mieux comprendre la place qu'il occupe dans l'art
contemporain.*

Alf Bøe

TABLE DES MATIERES

2

2 PAYSAGE D'HIVER. ELGERSBURG. 1906

3 AUTOPORTRAIT. BERGEN. 1916

INTRODUCTION

S'il est difficile de situer Edvard Munch dans un contexte historique c'est qu'il apparaissait déjà aux milieux artistiques de son temps comme l'image même de l'individualiste et de l'anarchiste, une sorte de génie souverain en marge et au-dessus des grands courants. Lui-même affirmait toutefois que pour qu'une véritable œuvre d'art voie le jour il fallait que l'artiste ait la force et le courage d'y exprimer les idéaux de son temps. Pour lui une nouvelle époque exigeait l'avènement d'un art nouveau et l'artiste pour la faire mieux comprendre devait être capable d'en faire vibrer les ondes avec la sensibilité du «phonographe». Dans l'art européen auquel il fut confronté dans sa jeunesse il ne voyait que décadence: les artistes ne faisaient qu'interpréter «les aspirations de la bourgeoisie» et peignaient «de jolis tableaux à accrocher sur les murs d'un salon», tout en rivalisant pour attirer sur eux l'attention lors des grandes expositions, «ces bazars de la peinture».

Munch se situait plus volontiers lui-même dans la lignée de Michel-Ange, Grünewald, Rembrandt, Manet, van Gogh et Gauguin, qui tous par un mouvement continu d'introspection avaient su donner à l'homme la première place dans leur art. Il s'estimait tout particulièrement redevable à Gauguin qui incarnait la «réaction contre le réalisme» et avait par son exemple démontré que «l'art était l'ouvrage de l'homme et non pas la copie de la nature». En revanche il refusait tout rapprochement avec Toulouse-Lautrec «car» — disait-il — «je suis un romantique». Romantique il l'était en effet en ce sens qu'il voulait déterminer la place de l'homme au sein de l'univers. Dans son manifeste dit «de Saint-Cloud», publié en 1929 mais dont le projet avait peut-être été rédigé dès janvier 1889, il écrit: «Il ne faudrait plus peindre des intérieurs, des gens qui lisent et des femmes qui tricotent. Mais plutôt des êtres vivants qui respirent et qui sentent, qui souffrent et qui aiment.» Cette forme de subjectivisme au tournant du siècle plongeait en partie ses racines dans

9

4

5

6

4 LA LANDE DU TREPAS. Vers 1890
5 LA CHAUSSEE DE LJABRU. Vers 1890
6 FEMME AU CIMETIERE. 1885/89

le romantisme et d'ailleurs les grands romantiques comme Runge et Friedrich en Allemagne, Blake en Angleterre et Goya en Espagne semblent tous avoir exercé une influence notable sur Munch à différents moments de son évolution. Comme lui, ils avaient, eux aussi, œuvré en leur temps à la genèse d'une nouvelle forme d'art.

Munch n'était cependant pas le seul en ce tournant du siècle à vouloir donner à son art un fondement subjectif. C'était également ce à quoi tendaient les symbolistes décadents comme Félicien Rops, Khnopff, James Toorop et Gustave Moreau, une figure isolée comme James Ensor ou encore celle, très originale et de plus en plus appréciée, de Ferdinand Hodler. Aucun d'entre eux cependant ne devait, autant que Munch, développer un symbolisme «privé» aussi consciemment sous-tendu par les traumatismes de l'expérience vécue. Avec courage, sans rien dissimuler mais sans jamais s'apitoyer sur son sort, celui-ci mit à nu sa propre existence et alla même jusqu'à faire de cette expression subjective une sorte de philosophie: «Je ne crois pas à un art qui n'est pas commandé par le besoin qu'a l'homme d'ouvrir son cœur.» Au sens jungien du terme, il «cristallise» en images et en symboles archétypes les émotions les plus profondes de l'être humain.

C'est dans *Le cri* que cette cristallisation est poussée à l'extrême: la figure de premier plan y est comme l'incarnation de l'expérience universelle de la peur — que Munch avait lui-même ressentie comme «un cri traversant la nature». A travers les nombreuses esquisses et études qui ont précédé la formulation définitive de la toile on voit comment, en faisant éclater la perspective centrale traditionnelle en usage dans la peinture depuis la Renaissance, Munch détermine un espace nouveau qui est en lui-même un phénomène expressif. Ce *Cri* que les contemporains considéraient comme son tableau le plus fou, apparaît de plus en plus aujourd'hui comme son œuvre maîtresse: on y voit le symbole de la condition de l'homme moderne pour lequel Dieu est mort et auquel le matérialisme n'apporte aucune consolation. Dans *La philosophie de l'art*, Schopenhauer s'interrogeant sur les limites du pouvoir expressif de l'art s'arrêtait à l'impossibilité de reproduire le cri, «das Geschrei», le titre que Munch choisit précisément pour son tableau. Le peintre est venu sur ce point corriger le philosophe dont il était d'ailleurs un grand admirateur. Il s'est inspiré pour ce faire des théories alors toutes récentes sur la synesthésie qui étudiaient comment les impulsions lumineuses et colorées peuvent produire des sensations sonores ou inversement.

Un Matisse peut se cacher derrière son bel univers aux formes équilibrées, un Picasso jouer les magiciens derrière sa toile, Munch, lui, ne fait qu'un avec son œuvre. C'est peut-être de là, de cette mise à nu de sa vie, que vient la popularité dont il jouit même auprès d'un public souvent peu familiarisé avec l'art. En livrant ainsi sa propre expérience

7

8

9

Munch annonce également quelque chose de nouveau dans l'histoire de la peinture. Le sujet du tableau est étroitement subordonné à l'émotion ressentie par l'artiste et la réalité n'est plus qu'une simple matière première à travers laquelle sont transposés les sentiments. Voilà ce qu'est

7 LE CRI. 1893
8 VISAGES. Vers 1895
9 LA MORT RATISSE LES FEUILLES. 1890/92

11

10

11

10 LE CRI. 1893
11 VERSO DE L'ILL. NO 10.

l'expressionnisme pour Munch: un art éminemment subjectif, profondément ancré dans l'expérience vécue et presque primitif comme le notait dans les années 1890 un de ses amis de Berlin:

«..... il n'a pas besoin d'aller à Tahiti pour voir et ressentir ce qu'il y a de primitif dans la nature humaine. Il porte en lui son propre Tahiti...»

12

13

14

15

13 LAURA MUNCH. 1881
14 LAURA MUNCH. 1883

15 AUTOPORTRAIT. 1882/83

ENFANCE ET JEUNESSE

Edvard Munch est né le 12 décembre 1863 dans le domaine d'Engelhaug à Löten, dans la province du Hedmark à une cinquantaine de kilomètres au nord d'Oslo qu'on appelait alors Christiania. Sa mère, Laura Cathrine Bjölstad, était une femme douce, belle et très pieuse, mais de santé fragile. Elle était issue d'une famille de navigateurs relativement riche mais marquée par la tuberculose, ce fléau de l'époque. Quand à vingt-deux ans elle épousa le docteur Christian Munch qui avait le double de son âge, elle en était déjà atteinte et sa sœur Karen vint s'installer auprès d'elle à Engelhaug pour l'aider à tenir son ménage. Laura eut d'abord une fille, Johanne Sophie, puis l'année suivante naquit Edvard. Très tôt le frère et la sœur devaient se sentir très proches l'un de l'autre. Leur père Christian Munch était médecin militaire et avait alors le grade de lieutenant. Il appartenait à l'une des plus honorables familles de Norvège, qui comptait en son sein de hauts fonctionnaires, plusieurs dignitaires de l'Eglise, des intellectuels et des artistes. Son frère était le professeur P. A. Munch, considéré de son vivant comme le plus grand historien norvégien. Avant son mariage, Christian Munch avait connu, comme médecin-navigant, une existence libre et aventureuse. Il avait acquis une vaste expérience de la vie et passait pour un homme heureux et sans préjugés. Ni lui ni son épouse n'étaient particulièrement fortunés et ils étaient conscients des problèmes qu'il leur faudrait affronter une fois mariés. Dans les lettres qu'ils ont échangées durant leurs fiançailles, on voit d'ailleurs qu'en chrétiens convaincus ils se remettent entièrement au Seigneur pour qu'Il les aide à surmonter les difficultés qui pourraient survenir.

En 1864, quand Edvard avait un an, la famille quitta la maison d'Engelhaug pour s'intaller à Christiania où le père exerçait ses fonctions à la forteresse d'Akershus. Les quatre premières années, ils habitèrent dans le plus ancien quartier de la ville, proche de la forteresse, au n° 9 de Ne-

16

16 EDVARD MUNCH ET SA MERE.
1885/89

15

17

17 L'ARBRE GENEALOGIQUE.
1894/95

dre Slottsgate où devaient naître Peder Andreas en 1865, Laura Catrine en 1867 et Inger Marie en 1868. Persuadée qu'elle ne survivrait pas à cette dernière naissance, la mère écrivit alors une touchante lettre d'adieu à ses enfants.

Mais peu de temps après, la famille emménagea au n° 30 A de Pilestredet dans un environnement plus champêtre, tout près du Rikshospital nouvellement construit et c'est dans ce nouveau foyer que Laura mourut pendant la semaine de Noël 1868. Edvard et sa sœur Sophie étaient alors âgés de cinq et six ans. Dans les notes qu'il nous a laissées, Munch évoque à plusieurs reprises le souvenir de sa mère et notamment la scène où elle annonça à ses deux aînés qu'elle allait mourir:

«Au pied du grand lit à deux places, ils étaient assis serrés l'un contre l'autre sur deux petites chaises d'enfant — la haute silhouette de femme à leurs côtés se découpait, grande et sombre, contre la fenêtre. Elle leur dit qu'elle allait les quitter, qu'elle devait les quitter et leur demanda s'ils seraient tristes quand elle ne serait plus là — et ils devaient lui promettre de rester près de Jésus et alors ils la retrouveraient au Ciel. Ils ne comprenaient pas très bien mais pensaient que tout cela était si horriblement triste qu'ils se mirent tous deux à pleurer, des flots de larmes — »

A la mort de leur mère ce fut la tante maternelle des enfants, Karen Marie Bjölstad, qui devint la femme de la maison. Elle se sentait profondément responsable d'eux et pour cette raison refusa dit-on un «très beau parti». Elle déclina également l'offre de mariage que lui fit Christian Munch car, nous rapporte sa nièce Inger, elle ne voulait pas devenir une belle-mère pour les enfants. Tante Karen était une forte femme, au solide sens pratique, qui sut maintenir l'unité de la famille et tenir lieu de mère aux plus jeunes. Les deux aînés conservaient le souvenir de celle qui avait été la leur et ressentait douloureusement le vide de son absence.

C'est dans la maison de Pilestredet que le jeune Edvard fit ses tout premiers pas d'artiste. Il nous le raconte ainsi dans l'une de ses nombreuses notes autobiographiques:

«Je me souviens qu'à l'âge de sept ans, je pris un jour un morceau de charbon, m'étendis sur le plancher et me mis à dessiner les aveugles. Mes figures étaient monumentales. Je me souviens avoir retiré du plaisir de mon travail et senti que ma main obéissait mieux que lorsque je dessinais sur l'envers des feuilles d'ordonnance de mon père.»

Tante Karen a raconté elle aussi cet épisode — comment Edvard, après avoir observé dans la rue un groupe d'aveugles, réussit à reproduire leurs mouvements hésitants. Le docteur Munch comme elle-même encourageaient les enfants à dessiner ou à avoir quelque autre petite activité

16

18

19

18 KAREN BJÖLSTAD. 1888
19 AU PIED DU GRAND LIT. 188?
20 AU PIED DU GRAND LIT. 189?

20

21

22

23

24

artistique quand le soir rassemblait la famille sous la lampe et que le père leur parlait ou racontait des histoires. Il s'intéressait à beaucoup de choses et aimait les introduire à la littérature et l'histoire. C'était également à l'occasion un conteur d'histoires de fantômes si convaincant qu'ils en étaient presque terrifiés. Mais peu à peu il devait glisser vers une forme de religiosité morbide, avec des accès de remords et de désespoir proches de la folie.

Quand Edvard fut âgé de douze ans, la famille déménagea pour s'installer en dehors de la ville dans le faubourg ouvrier de Grünerlökka alors en construction. Le docteur qui était maintenant médecin de régiment et avait le grade de capitaine souhaitait arrondir son traitement de fonctionnaire grâce aux revenus d'une clientèle privée. Si la concurrence entre médecins était très vive à cette époque dans les beaux quartiers, ce

21 LE LIT DE MORT. 1893
22 LE LIT DE MORT. 1896
23 LE LIT DE MORT. 1896
24 LE LIT DE MORT (FIEVRE). 1893

25

n'était pas le cas dans un nouveau secteur d'habitation aussi peu attrayant que Grünerlökka. Le cabinet du docteur dans le nouvel appartement était souvent des plus improvisés. Un jour on tendit même un drap en travers de la chambre qu'il partageait avec ses fils pour déterminer une «salle de consultation». Cet essai de clientèle privée fut toutefois un échec. Le docteur Munch était totalement dépourvu de sens pratique, non seulement quand il s'agissait de réclamer des honoraires à des ouvriers ou à des indigents, mais également en tout ce qui touchait l'exercice matériel de sa profession, ce dont foule d'anecdotes sont là pour témoigner.

Pendant les années qu'ils passèrent à Grünerlökka, la famille occupa plusieurs appartements tous plus humides et plus éventés les uns que les autres. Ils emménagèrent d'abord au n° 48 de Thorvald Meyersgate

25 LE LIT DE MORT. 1893

26

26 LA MORT DANS LA CHAMBRE
   DE MALADE. 1893/94
27 LA MORT DANS LA CHAMBRE
   DE MALADE. 1893 ou 1896
28 FIEVRE. Vers 1894

27

28

où ils vécurent pendant deux ans et où mourut la sœur aînée Sophie, emportée à seize ans par la tuberculose. Cet évènement laissa de profonds stigmates dans l'esprit du jeune Edvard et devait plus tard resurgir dans plusieurs de ses tableaux sur la mort. Bien des années après, il revit encore avec grande émotion le moment de la mort de sa sœur (qu'il nomme ici Maja, lui-même apparaissant sous le nom de Karlemann):

«C'était le soir — Maja gisait rouge et brûlante dans son lit, ses yeux brillaient et erraient sans repos autour de la pièce — elle délirait — Cher petit Karlemann, ôte-ça de moi, cela fait si mal — tu ne veux pas — elle le regardait suppliante — si, tu veux — Tu vois cette tête, là — c'est la Mort...... Ses yeux devinrent tout rouges — que c'était vraiment sûr — qu'elle venait bientôt, la Mort — c'était impensable.»

Après la mort de Sophie, la famille alla s'installer dans un appartement au n° 7 de Fossveien, qui était plus proche de la rivière Akerselv d'où montait une bise glaciale pendant les mois d'hiver. L'immeuble était particulièrement mal abrité, celui d'à côté n'ayant pas encore été construit. Dans une lettre non datée, écrite beaucoup plus tard par Munch à sa sœur Inger, il compare le quartier de Grünerlökka avec celui de Pilestredet où ils avaient passé la première partie de leur enfance:

«Pilestredet était un endroit sain.... Nous y étions en bonne santé et nous n'aurions jamais dû le quitter. Ce qui fut la cause de toutes nos maladies à Grünerlökken, c'est l'air froid qui descendait de Maridalen par la rivière Akerselv. Et puis il y avait cet immeuble pas encore terminé — »

Pendant leur enfance à Grünerlökka, ils ne souffrirent pas seulement du froid et de la bise mais également de la puanteur, car dans ce quartier surpeuplé, les misérables vieux bâtiments en bois qui entouraient les nouvelles constructions servaient d'abri à quantité d'animaux domestiques. Bien que le docteur Munch perçût un traitement normal de haut fonctionnaire et eût en principe la possibilité d'augmenter ses revenus en ayant une clientèle privée, la famille se trouvait perpétuellement dans une situation financière déplorable. Cette pauvreté dut leur avoir été d'autant plus dure à supporter que leur père appartenait à l'une des plus respectables familles du pays et que du côté de leur mère également beaucoup de leurs parents proches étaient très fortunés. En 1913, Tante Karen écrit à Edvard:

« — Souvent la nuit je rêve de ces vieux appartements et de toutes nos difficultés, nous marchons ensemble en cherchant des pièces de monnaie et trouvons enfin une couronne. — »

A Grünerlökka, Edvard et les siens vivaient en somme assez à l'écart du reste de la famille ainsi que des collègues du docteur. Ils avaient d'ail-

Fossveien 7b 1877.

29

30

29 INTERIEUR DU NO 7
    FOSSVEIEN. 1877
30 NATURE MORTE: FIOLE DE
    MEDICAMENT ET CUILLERE.
    1877

leurs peu de contacts sociaux si l'on excepte la visite de nombreuses tantes et de temps en temps de quelques cousins et cousines. L'un d'entre eux, Ludvig Ravensberg, devait plus tard raconter à quel point il avait alors été fasciné par l'activité créatrice qui régnait dans la famille de Christian Munch. On a conservé une quantité de dessins exécutés par les enfants pendant leurs années à Grünerlökka. Les deux premiers appartements qu'ils habitèrent ont été minutieusement représentés, notamment par Edvard, dans un grand nombre de toutes petites aquarelles qui, une fois rassemblées, constituent un précieux document sur la façon dont vivait alors la famille. Par rapport aux habitations de la bourgeoisie des quartiers ouest dont les appartements étaient surchargés de meubles, de tapis et de velours, le cadre dans lequel vivait la famille Munch apparaît extraordinairement dépouillé. Leurs meubles étaient pour la plupart des pièces d'héritage, que Munch devait conserver toute sa vie et qu'on peut voir aujourd'hui à Oslo dans le musée consacré à son œuvre.

Les qualités principales des dessins de Munch enfant sont la clarté et la précision, qu'il s'agisse d'objets isolés (une pipe, un crayon, sa propre main) ou de scènes illustrant certains évènements de l'histoire médiévale norvégienne. En dehors des dessins d'Edvard, les plus convaincants sont ceux de sa sœur Sophie; elle peignait également à l'aquarelle des paysages dont émanent force et originalité. Gerard Munthe, l'un des plus grands paysagistes norvégiens de cette époque, qui avait pu voir les dessins de Sophie après sa mort, estimait qu'elle aurait pu devenir un grand peintre si elle avait vécu.

Le fait de vivre à Grünerlökka posait des problèmes pour la scolarité des enfants. Leur père travaillant à Akershus, ils relevaient normalement de l'école proche de la forteresse. Mais le trajet étant trop long, ils furent au cours des années inscrits dans différents établissements quand ce n'était pas leur père qui leur tenait lieu d'instituteur. Edvard eut une scolarité d'autant plus difficile qu'il était souvent malade. Son frère cadet Andreas, plus robuste, était bon élève et on le destina très tôt à une carrière universitaire. Edvard et lui semblent s'être toujours très bien entendus et avoir partagé avec joie les promenades, les parties de pêche ou de tir aux pigeons etc. Edvard, toujours fragile, était autorisé l'été à aller rejoindre leur père là où était cantonné son régiment pour les manœuvres annuelles.

Dès l'âge de 13 – 14 ans, Munch est un habitué des expositions de l'Association des beaux-arts; il fréquente également un peu plus tard celles de la galerie Blomqvist, ainsi que les collections permanentes de la Galerie Nationale. Les arts plastiques étaient déjà son principal intérêt dans l'existence et le dessin devint pour lui un passe-temps favori auquel il s'adonnait également en dehors du cercle familial. De cette époque

32

31

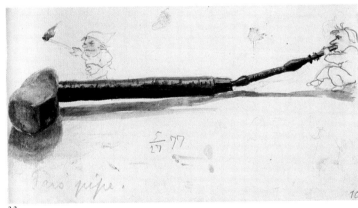

10

34

35

31 INTERIEUR. 1877
32 INTERIEUR DE THORVALD MEYERS GATE. 1877
33 «LA PIPE DE MON PERE». 1877
34 NATURE MORTE AUX INSTRUMENTS D'ECRITURE. 1877
35 «NOTRE CHAMBRE AU NO 7 FOSSVEIEN». 1878

36

36 SCENE HISTORIQUE. RETOUR
DE LA CHASSE. 1877

37

37 «LA MAISON DE MADAME
THRONSEN». 1878
38 LA MAISON DU DOCTEUR A
GARDERMOEN. 1877

38

sont conservées de fines études d'habitations dans des paysages, exécutées à Grünerkökka aux alentours de la maison familiale ou dans la région où avaient lieu les manœuvres militaires. Celles où se révèle pour la
première fois la main du véritable artiste datent de l'été 1877. Elles possèdent toutes en commun une sorte de légèreté lumineuse et classique.
L'année suivante, en 1878, l'influence des peintres paysagistes norvégiens de l'époque — Ludvig Munthe, Frits Thaulow ou Edvard Diriks
— est nettement perceptible. Mais les paysages à l'aquarelle de l'été
1879 sont déjà étonnamment libérés et témoignent d'une puissance et
d'une sûreté convaincantes. Munch faisait souvent des répliques de ses
propres tableaux et cette sorte de retour analytique sur un seul et même
sujet devait devenir pendant toute sa vie une constante de son œuvre.

A l'automne 1879 Munch se présente à l'examen d'entrée à l'Ecole
technique — épreuve à laquelle avaient dû le préparer ses dessins d'architecture — et il est accepté comme élève.   Il découvre avec enthousiasme ce milieu d'étudiants, ainsi que leur «Association» où les dé-
bats sur les sujets d'actualité jouent un rôle très important. Mais là aussi,
la maladie devait le contraindre à de longues absences et après mars
1880, il ne vint plus que de manière très irrégulière.

24

39

41

41 VUE DE MARIDALSVEIEN. 1877

39 L'INFIRMERIE DE
    GARDERMOEN. 1879

40

40 HELGELANDSMOEN. 1879

25

42 LE DOMAINE D'ÖVRE FOSS.
Vers 1878

43 LE DOMAINE D'ÖVRE FOSS.
1880

42

43

APPRENTISSAGE A CHRISTIANIA DANS LES ANNÉES 1880

Le 22 mai 1880, Munch note dans son journal qu'il a acheté des couleurs et des pinceaux pour la peinture à l'huile et trois jours plus tard il écrit:

«Aujourd'hui je peins à l'huile l'église de Gamle Aker.»

Cette première peinture de Munch, aujourd'hui en possession d'un collectionneur privé, ne fut pas un chef-d'œuvre, les pinceaux et la technique de l'huile lui ayant de toute évidence donné quelque mal. Plus loin dans son Journal, nous apprenons qu'il termine le 14 juin une peinture du manoir d'Övre Foss, vieille demeure située à quelques minutes de marche de chez lui à Grünerlökka, oasis de calme et de verdure dans ce quartier d'usines surpeuplé. Le long de la rivière Akerselv, Munch remontait aussi quelquefois vers la vallée de Maridal en se promenant et en faisant des croquis, seul ou en compagnie de son ami Henning Kloumann, son aîné de trois ans, alors étudiant en architecture. Quelques natures mortes datant de la même époque ont également été conservées.

A l'automne, Munch peint une intéressante série d'études de la forêt de Nordmarka, dans un coloris gris doré rappelant celui de Corot. La lumière s'étend comme un voile chatoyant de couleurs sur l'austère paysage d'automne, que vient souvent traverser une figure solitaire.

Quand l'Ecole technique rouvre ses portes après l'été, Munch n'y retourne qu'irrégulièrement, en partie parce qu'il est de nouveau malade mais également parce qu'il est de plus en plus occupé à peindre. Nous ignorons ce qui se passe pendant ces mois d'automne, plusieurs pages ayant en effet été arrachées de son Journal. Mais à la date du lundi 8 novembre, nous pouvons lire:

«J'ai de nouveau abandonné l'Ecole technique. En effet, je suis maintenant décidé à devenir peintre.»

44

44 L'EGLISE DE GAMLE AKER.
1881

27

45

45 PAYSAGE AUX BOULEAUX.
   1880
46 VUE DE MARIDALEN. 1881

46

47 PAYSAGE D'HIVER A LA
   MAISON. 1880

47

28

48

49

50

51

Quelques semaines plus tard, il s'inscrit aux cours du soir de l'Ecole de dessin.

Cet hiver-là, il peint pour la première fois l'église de Gamle Aker et la descente dite Telthusbakken vues d'une fenêtre de l'appartement familial au deuxième étage du n° 7 de Fossveien. De cette très belle étude parfaitement équilibrée émane une impression d'intense gravité. Il en existe plusieurs esquisses préparatoires à l'aquarelle qui montrent bien comment l'artiste sait mettre à profit les connaissances précédemment acquises. Dominant la ligne des maisons, l'église donne à l'ensemble un caractère monumental en dépit du petit format. D'autres vues peintes des fenêtres de cet appartement témoignent elles aussi de la même minutie dans l'observation, qu'il s'agisse de la douce lumière d'automne ou de la netteté tactile d'un paysage d'hiver dans l'air cristallin.

L'un des premiers portraits de Munch représente son père assis sur le sofa et lisant son journal. Il ne semble pas être conscient qu'on l'observe. C'est un petit tableau finement étudié: le personnage, vu de très près, se découpe sur le fond de la pièce, selon un angle apparemment fortuit. D'après les normes conventionelles de l'époque, il s'agissait là

48 L'EGLISE DE GAMLE AKER.
   1880
49-51 L'EGLISE DE GAMLE AKER.
   1877

29

52

52 ETUDES POUR UN PORTRAIT
DE KAREN BJØLSTAD. 1883

53 LE DOCTEUR CHRISTIAN
MUNCH ASSIS SUR LE SOFA.
1881

53

d'une absence de composition. Tant dans le coloris que dans le traitement compact des masses, on perçoit ici l'influence de Christian Krohg,
le plus extrémiste des peintres naturalistes norvégiens de l'époque. Par
contre, la manière dont la figure du père est comme repoussée à l'arrière
de l'espace pictural par le lourd plateau de la table constitue la première
manifestation d'une formule que Munch devait reprendre plus tard dans
beaucoup de ses tableaux psychologiques. Ce portrait est le premier
d'une longue série d'études que Munch peignit de son père au début des
années 1880.

Peu à peu il commença à fréquenter assidûment les cercles qui gra-

55

55 AUTOPORTRAIT. 1881/82

54

54 L'INFIRMERIE DE
HELGELANDSMOEN. 1882

vitaient autour des jeunes «naturalistes», ces artistes qui sans aucune formation préalable peignaient directement d'après nature. Dans la première moitié des années 1880, ses nombreuses études de paysage révèlent
nettement l'influence du naturaliste Frits Thaulow; mais si la palette des
autres jeunes artistes reste généralement discrète et prudente, Munch
pousse plus loin ses expériences, qu'il s'efforce de capter le jeu subtil de
la lumière du jour ou bien charge sa pâte sur les verts d'une luxuriante
végétation.

Munch choisit de devenir peintre juste au moment où l'on pouvait
faire une carrière artistique sans avoir à séjourner dans les académies

56

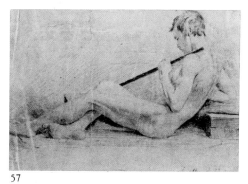

57

56 — 57 ETUDES DE NU
EXECUTEES A L'ECOLE DE
DESSIN. 1881/82

étrangères — luxe qu'il n'aurait sans doute pas pu s'offrir: le courant naturaliste en effet, qui était alors dominant partout, était essentiellement fondé sur l'étude de la nature et partisan d'une formation artistique indépendante des écoles. Les artistes norvégiens revenaient enfin dans leur pays après un exil de plusieurs générations. On avait le sentiment d'assister à un véritable dégel dans le climat culturel, ainsi qu'au développement parallèle d'une certaine méfiance à l'égard de l'ancienne culture des notables, de ses normes et de son pouvoir. Le nouveau courant ne se dissociait pas du mouvement nationaliste qui réclamait la dissolution de l'union avec la Suède. L'idée d'un Etat norvégien libre impliquait également l'existence d'une vie artistique et culturelle riche et indépendante sur le sol natal. A cet égard, le naturalisme devait jouer un rôle important dans l'évolution de la société norvégienne. On peut raisonnablement penser qu'Edvard Munch, neveu de P. A. Munch auteur de *La vie et l'histoire du peuple norvégien,* était conscient du rôle historique incombant à l'artiste en pareille époque.

C'est bien en effet une impression d'assurance qui se dégage de son premier autoportrait, peint au cours de l'hiver 1881 — 1882. Munch était alors élève à l'Ecole de dessin de Christiania où il avait comme professeur le sculpteur Julius Middelthun dont le style sobre et classique insistait sur la précision des formes et des surfaces. Même si cet autoportrait est supposé avoir été peint dans l'appartement du n° 7 Fossveien, il reste manifestement un exercice d'école et l'on peut voir dans la dureté lisse de sa surface l'influence de Middelthun dont Munch était d'ailleurs considéré comme l'élève le plus doué. La plupart des dessins conservés représentent de jeunes garçons que Middelthun utilisait comme modèles.

Pendant l'été 1882, Munch séjourna de nouveau avec son père sur le lieu des manœuvres du régiment et c'est là sans doute qu'il peignit *L'infirmerie de Helgelandsmoen.* Dans cette minutieuse étude d'intérieur sont rendues toutes les valeurs des jeux de lumière. La chaleur du coloris et sa richesse y évoquent de façon frappante certaines toiles d'Edgar Degas. La figure du malade allongé vient se fondre en une seule forme avec celle de la femme assise et cette fusion symbolique entre deux ou plusieurs personnages devait d'ailleurs devenir plus tard l'une des formules essentielles de l'art de Munch.

Munch n'avait pas encore vingt ans quand pour la première fois une de ses œuvres — une étude de tête — figura dans une exposition: le Salon des Arts Décoratifs à Christiania, de juin à octobre 1883. Dans le quotidien radical *Dagbladet,* il put voir imprimée la première critique de sa peinture. Le sujet en est ainsi décrit: «Une jeune personne, aux cheveux roux, avec de petits yeux et laide, mais caractéristique et vivante.» L'auteur de l'article y décèle à juste titre une ressemblance avec la ma-

58

59

59 ETUDE DE TETE. 1883

58 AU PETIT MATIN. 1883

60

61

60 KAREN BJÖLSTAD DANS UN
   INTÉRIEUR. 1885/89
61 INGER MUNCH. 1882

nière du peintre norvégien Hans Heyerdahl. Déjà Munch apparaît ici, bien qu'indirectement, comme un jeune artiste représentatif d'une tendance «que les honnêtes citoyens appellent ultra-radicalisme.»

La même année il peint *Au petit matin* qu'il expose en décembre au deuxième Salon d'Automne. Erik Werenskiold qui avec Frits Thaulow, Hans Heyerdahl et Christian Krohg était le maître le plus écouté des artistes de la jeune génération reprocha à ceux-ci de perdre leur spécificité en prétendant tout apprendre de l'étude directe de la nature. Cette critique épargnait toutefois Edvard Munch, qui s'était «émancipé». L'écrivain Gunnar Heiberg qui à maintes reprises devait jouer un rôle important dans sa vie et dans son œuvre, constate que Munch est, parmi la jeune garde, celui qui a soumis le travail le plus intéressant: «Sa jeune servante, préparant le feu au petit matin, témoigne d'une délicate et sincère sensibilité.» Heiberg estime également que Munch et les autres jeunes peintres sont tous influencés par Krohg et peignent de manière un peu trop ostentatoire. Mais selon lui, la toile de Munch «recèle des qualités qui ne peuvent s'apprendre, tandis que ses défauts sont de ceux qu'on peut corriger à condition de le vouloir.» Cette critique, selon laquelle Munch était un artiste talentueux mais auquel il manquait la volonté de mener à bout son travail, fut pendant plus d'une décennie un leitmotiv dans la presse radicale qui par ailleurs se montrait bien disposée à son égard. Dans les journaux conservateurs, il était unanimement considéré comme socialiste, voire anarchiste.

Avec six autres peintres de son âge, Munch avait loué dès l'automne 1882 un atelier sur la Place du Parlement (Stortingsplass) où Christian Krohg venait corriger leurs travaux. Ces jeunes naturalistes peignaient souvent tous ensemble le même sujet et ils prenaient volontiers leurs modèles dans la rue, hommes ou femmes déjà vieux et marqués par la vie. Ils posaient également les uns pour les autres. Parmi les œuvres de Munch datant de cette époque, on retiendra surtout une importante série d'études de têtes. Son habileté à capter le trait caractérisque était unanimement reconnue de ses amis artistes.

C'était grâce aux expositions organisées chaque année par les artistes eux-mêmes que de jeunes talents comme Munch pouvaient régulièrement montrer au public les résultats de leurs recherches. Ces expositions étaient conçues sur le modèle du grand Salon de Printemps à Paris. Mais à Christiania, elles avaient lieu à l'automne, de façon que les peintres puissent y montrer les études d'extérieurs exécutées pendant l'été et afin également que les toiles éventuellement envoyées à Paris aient le temps de revenir pour être exposées à Christiania. Le premier Salon d'Automne en 1882 fut avant tout une démonstration d'opposition à l'Association des arts (Kunstforeningen) qui jusqu'alors avait été quasi omnipotente en ce qui concernait l'exposition et la vente des

62

63

63 KAREN BJÖLSTAD PRES DE LA
FENÊTRE. 1882/83

62 TANTE DANS LE FAUTEUIL A
BASCULE. 1883

œuvres d'art dans la capitale. Le deuxième Salon d'Automne organisé par les artistes et auquel Munch lui aussi était représenté avait pour autre particularité de s'ouvrir aux peintres de la toute jeune génération. Au cours de ses premières années d'existence, cette manifestation fut donc l'occasion de présenter non seulement des œuvres contemporaines mais aussi des travaux d'apprentissage de jeunes peintres sans formation académique. Cette possibilité donnée aux plus jeunes de soumettre à l'appréciation du public ce qui dépassait à peine l'exercice d'école, n'existait sans doute dans aucun autre pays.

En partie pour échapper au froid et aux courants d'air de l'appartement de Fossveien, où soufflaient les vents d'hiver remontant de la rivière Akerselv, Munch et sa famille vinrent s'installer quelques centaines

35

64

64 AUTOUR DE LA TABLE DU
CAFE. 1883

de mètres plus loin à Olaf Ryes plass (juste en face de leur toute premiè-re habitation à Grünerlökka, au n° 53 de Thorvald Meyers gate). Ce nouvel appartement était plus grand, l'immeuble était plus beau et abri-tait une pharmacie, ce qui était parfait pour un cabinet médical. Munch y peignit en 1883 *Tante dans le fauteuil à bascule.* C'est là une des pre-mières toiles dans lesquelles s'affirme son talent pour la peinture psy-chologique et expressive. La figure de femme est assise, comme figée, à l'intérieur de la pièce et le contre-jour crée un saisissant effet de contras-te avec la lumière vivante du dehors.

C'est dans l'appartement d'Olaf Ryes plass que Munch peignit égale-ment *Autour de la table du café.* Le salon était tapissé d'un rouge très vif, ce qui peut expliquer les couleurs de ce tableau où l'air de la pièce enfu-mée avec ses ombres aux couleurs intenses possède une sorte de maté-rialité. Le sentiment de mélancolie est rendu par la ligne voûtée du dos du père, qui se répète dans la figure de la tante.

Il existe deux études intéressantes peintes des fenêtres du même ap-partement. L'une, datée de 1884, dans un format tout en hauteur, mon-

36

tre une vue de la place au nord-est. Comme souvent chez Munch, la date est erronée. La famille avait en effet réemménagé à Fossveien (cette fois au n° 9) dès octobre 1883 et le tableau doit donc très probablement avoir été peint plus tôt. La perspective à vol d'oiseau, les vibrations de la lumière dorée sous les traits parallèles du pinceau et les audacieuses taches de couleurs créant l'illusion de personnages sont autant d'éléments qui indiquent que Munch sans doute pour la première fois ici s'essaie à peindre un paysage impressionniste. L'autre étude traite le motif face au sud-est, le soir quand les ombres s'allongent. La palette est voilée et fluctuante, aussi diffuse, d'un point de vue pictural, qu'elle était lumineuse et précise dans la première étude.

En 1884, Munch expose *Le matin* au Salon d'Automne qui cette année-là était devenu une institution officielle sous le nom de Salon national annuel des Arts. Ce tableau représente une jeune servante à demi vêtue, assise sur son lit dans la lumière du matin. Tout en étant proche de la manière de Christian Krohg, il s'en éloigne en même temps. Ce qui est nouveau, c'est l'importance primordiale de la lumière: de la fenêtre de gauche, elle donne un aspect immatériel à la carafe et au verre posés sur le rebord et modèle d'une façon toute particulière le corps de la jeu-

66

66 APRES-MIDI SUR OLAF RYES
PLASS. 1883

65

65 OLAF RYES PLASS. 1883

37

67 LE MATIN. 1884

67

ne fille. Il flotte dans la chambre une lueur scintillante et diffuse qui confère à cette scène par ailleurs si familière un caractère presque surnaturel. Ce tableau fut peint à Modum où, l'été précédent, Frits Thaulow avait improvisé une sorte d'atelier en plein air «à la mode française». Munch en décrit lui-même le sujet dans une lettre écrite de Modum à son collègue et ami Olav Paulsen, à la fin du mois de septembre 1884:

«Je suis en train de peindre une jeune servante. Tu trouves sans doute étrange que je revienne encore une fois sur ce sujet, mais il était beaucoup trop beau pour que je résiste à l'envie de le reprendre. C'est tout simplement une jeune servante qui vient de se lever de sa chaste couche et qui, assise sur le bord de son lit, est en train d'enfiler ses bas. Le lit est dans les blancs, il y a en plus des draps blancs, une chemise blanche, une table de nuit drapée de blanc, des rideaux blancs et des murs bleus. Voilà pour la couleur.»

38

Le journal conservateur *Morgenbladet* s'indigna: voilà jusqu'où l'école moderne pouvait aller «dans la banalité et le mauvais goût»; et la facture du tableau fut décrite comme «du niveau de l'ébauche ou même de la sous-couche». Dans le quotidien *Aftenposten*, le jeune critique Andreas Aubert, qui devait devenir le porte-parole des naturalistes partisans d'un art national, exhorte Munch à «présenter la prochaine fois qu'il exposera quelque chose qu'on puisse considérer comme achevé en tenant compte du niveau auquel il a atteint.»

De son côté, Munch n'était pas particulièrement impressionné par ce qu'il avait vu au Salon d'Automne. Il écrit:

«Notre grand Salon est donc maintenant fini et l'impression qu'il me laisse est plutôt terne. L'honorabilité norvégienne dans toute sa splendeur. Pas un seul tableau n'a laissé une impression comparable à certaines pages d'un drame d'Ibsen.»

68

A l'automne de la même année, il peint un portrait de sa sœur, *Inger en noir*. Avant qu'il n'envoie son autre toile *Le matin* au Salon d'Automne, les deux tableaux avaient créé une certaine sensation dans le milieu artistique. Inger écrira beaucoup plus tard qu'ils avaient été à l'origine d'une «véritable invasion de notre appartement: Krohg, Garborg et beaucoup d'autres jeunes artistes. C'était un spectacle étrange, ces deux tableaux l'un à côté de l'autre, le lumineux et le sombre.»

Dans *Inger en noir* Munch a adopté un parti pictural complètement opposé à celui du *Matin*. Le visage et les mains à peine esquissés sont littéralement modelés par la lumière qui les tire de l'ombre d'une manière presque rembrannesque et devient le support d'une expression psychologique dénudée. La toile se distingue des autres portraits de la même époque en ce que la lumière y vibre sur un fond sombre où couvent des teintes finement nuancées aux harmonies profondes. Il n'est pas impossible d'ailleurs que pour cette toile, d'une facture très inhabituelle dans l'art norvégien, Munch ait puisé une partie de son inspiration dans *Raskolnikov,* le premier des romans de Dostoïevski qui ait été traduit en norvégien et qu'il avait pu lire dès sa parution en 1883. Dans une lettre datée de Noël 1884, il écrit à son ami Olav Paulsen qu'il y a dans *Raskolnikov* «des choses qui comptent parmi les meilleures que j'aie lues. Certaines pages sont en elles seules des œuvres d'art.»

C'est à peu près à cette époque que Munch entre en contact avec ce qu'on a appelé «la bohème de Christiania», qui gravitait autour de Hans Jæger et Christian Krohg et qui allait avoir aussi mauvaise réputation. Munch devait plus tard affirmer, au grand déplaisir de Krohg, que c'était lui qui avait en partie décidé les couleurs de *Chez le médecin de la police,* l'œuvre maîtresse à laquelle travaillait alors ce dernier. Munch aurait

68 INGER EN NOIR. 1884

39

69

70

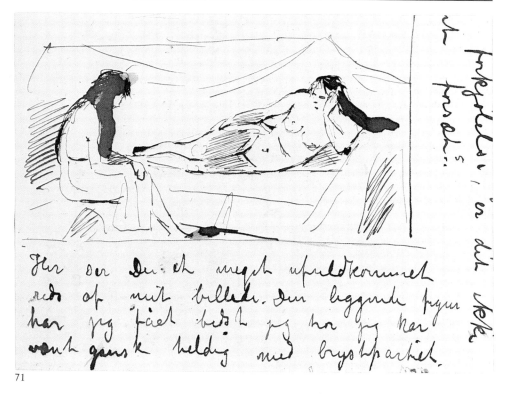

71

69 «APRES LE BAIN». 1885
70 NU ASSIS. 1885
71 «DEUX JEUNES FILLES A LEUR
    SORTIE DU BAIN». 1885

posé les indications de couleurs sur la toile vierge et peint le buste de l'une des femmes. Dans ces milieux artistiques d'avant-garde il jouissait d'une réputation qu'aucun autre jeune artiste ne s'était acquise. C'est également dans l'atelier de Krohg qu'il fera la connaissance de Millie Engelhardt, celle qui pendant les cinq années suivantes devait être sa «femme fatale» et qu'il désigne dans ses carnets littéraires sous le nom de «Madame Heiberg».

Au printemps 1885, il travaille à une toile d'inspiration incontestablement érotique, destinée à l'Exposition universelle d'Anvers qui devait s'ouvrir au mois de mai. Dans une lettre à Paulsen, il décrit ses intentions:

«Il s'agit de deux jeunes filles à leur sortie du bain. L'une de ces jolies personnes est languissamment allongée sur un sofa recouvert de draps blancs. L'autre, assise à ses côtés, est en train de se sècher, elle est rousse. La toile a deux mètres de long.»

Au début du mois d'avril le tableau est presque terminé. Munch en a véritablement «sué sang et eau». Il est tout à fait satisfait de la figure allongée et estime qu'il a particulièrement bien réussi la poitrine. Dans

40

une seconde lettre, il fait un croquis du sujet, étonnamment sensuel, un véritable morceau de Salon, et il écrit:

«La femme est décidément une créature délicieuse. Je crois que je ne vais plus peindre qu'Elle.»

De toutes ces sensuelles images de femmes, pratiquement aucune n'a été conservée. *Deux jeunes filles à leur sortie du bain* a également disparu et ne parvint même jamais non plus à l'Exposition d'Anvers, où Munch fut représenté par le portrait de sa sœur *Inger en noir* de 1884, déjà mentionné.

Quand il peignit les *Deux jeunes filles,* il avait un atelier dans Mariboegate à Christiania et pouvait donc facilement faire appel à des modèles féminins. Jusqu'alors dans l'appartement familial où il avait dû le plus souvent travailler, il ne pouvait même pas entreposer une étude de nu, de peur d'offenser le puritanisme de son père. C'est sans doute en grande partie pour cette raison que seulement un des nus de femme peints dans les années 1880 a été conservé et encore s'agit-il de la pudique représentation d'un modèle vu de dos.

Munch se rendit à l'Exposition universelle d'Anvers où il put notamment voir présentées certaines grandes œuvres de Puvis de Chavannes et de Bastien Lepage. De là il continua jusqu'à Paris où il visita le Louvre et alla au Salon — tout ceci en l'espace de trois semaines. Sept ans plus tard, il se souvient:

«Ce qui détruit l'art moderne, ce sont les grandes expositions, ces grands «Bons Marchés» — la nécessité pour les tableaux de faire bien sur un mur — de décorer — ils ne sont pas peints pour eux-mêmes ni pour raconter quelque chose — Moi qui il y a sept ans partis pour Paris, brûlant d'envie de visiter le Salon — je pensais que je serais ému et je n'ai ressenti que du dégoût —»

Même si sa visite à Paris fut de courte durée, il est possible que Munch ait pu y voir quelques œuvres impressionnistes d'avant-garde, par exemple chez le marchand de tableaux Durand-Ruel. Il a pu voir également chez Georges Petit des Monet et des Renoir. Plusieurs des confrères de Munch connaissaient très bien la capitale et lui-même avait toujours dès son enfance assidûment fréquenté les expositions. Mais nous ne savons pas avec certitude ce qu'il vit à Paris, en dehors du Salon et du Louvre.

A son retour de voyage, il exécute un superbe portrait en pied qu'il exposera au Salon d'Automne de la même année: celui d'un confrère, le peintre Karl Jensen-Hjell. Le tableau s'inscrit dans la grande tradition internationale du portrait qui remonte à Vélasquez, dont Munch avait

72

72 KARL JENSEN-HJELL. 1885

41

73 TETE-A-TETE. Vers 1885

73

attentivement étudié les œuvres du Louvre. Il est permis également de penser qu'il avait vu à Paris un ou plusieurs des portraits en pied d'Edouard Manet. Les critiques de Christiania ne virent toutefois dans cette dernière œuvre de Munch qu'un exemple extrême de cet impressionnisme qu'ils méprisaient. Ils ne pouvaient admettre en particulier que l'œil derrière le monocle ne soit pas représenté et qu'on ne voie que des reflets sur le verre. Même Hans Jæger trouva le portrait «un rien trop arrogant et facétieux». Le journal conservateur *Aftenposten* y vit un exemple «des outrances de l'impressionnisme, caricature de l'art». Dans le *Dagen,* on put lire que l'auteur aurait dû dès lors être baptisé «le peintre de la laideur». D'après Munch, le riche Jensen-Hjell fit l'acquisition du portrait en échange d'un déjeuner à deux couronnes au Grand Café.

A peu près à la même période, Munch peignit *Tête-à-tête,* la seule qui ait été conservée des peintures d'inspiration érotique exécutées dans les années 1880. L'homme sur la gauche est rendu avec une précision tactile, à l'inverse de la femme vue de face qui est comme voilée par la fumée de cigarette. Il est clair qu'il s'agit d'une allusion directe à une

42

scène de galanterie dans le milieu de la bohème. Curieusement, l'homme y est l'élément dominant et actif du couple alors que dans les œuvres plus tardives il sera présenté comme l'éternelle victime de la femme. Munch a pris ici comme modèles sa sœur Inger et son ami Karl Jensen-Hjell. C'est à peu près de la même époque que datent les premières ver-

74

74 LE PERE DE L'ARTISTE A LA
    PIPE. 1885

43

75

75 AUTOPORTRAIT. 1886

sions du *Lendemain* et de *Puberté,* l'une et l'autre aujourd'hui perdues.

Les critiques toujours défavorables auxquelles Munch était sans cesse en butte dans la presse le maintenaient dans une position très à l'écart et furent même chez lui à l'origine de dissensions familiales. Il racontera plus tard que son père détruisit un jour une de ses meilleures toiles, car «il en avait assez de ma peinture et de la Critique». Son cousin Edvard Diriks, peintre mieux établi, dont les œuvres décoraient les salons de riches membres de la famille, déclara un jour au docteur Munch que si les toiles de son fils étaient mauvaises, c'était que celui-ci passait ses journées au café. Edvard se vit alors refuser par son père l'argent nécessaire pour acheter ses couleurs et autres matériels de peinture. S'il lui arriva de superposer deux compositions sur la même toile, ce fut sans doute parfois pour des motifs de pure économie.

Dans les deux portraits que Munch fit de son père à cette époque se révèle déjà l'art du portraitiste. Toute la force de l'expression est concentrée sur le visage et la main du *Père de l'artiste à la pipe* (1885) tandis que les autres parties du tableau restent floues. Les yeux clos du modèle suggèrent peut-être que Munch considérait son père comme un être pour lui inaccessible. Quant à l'autre portrait, dont l'expression mélancolique et la fixité de masque annonce la manière expressive qu'il devait développer au cours des années 1890, il peut indiquer qu'en 1885 à Paris Munch avait également vu des toiles d'Eugène Carrière dont les figures sont souvent comme enveloppées dans une sorte de brume.

En 1880, Emile Zola avait dans *Le roman expérimental* défini le naturalisme comme «un coin de la nature vu à travers un tempérament». La démarche de Munch pendant la première moitié des années 1880 peut être considérée comme une radicalisation de ce programme, puisqu'il met l'accent sur la façon dont l'artiste perçoit émotionnellement son œuvre. Avec *L'enfant malade,* il développe jusqu'à l'extrême le subjectif et l'existentiel, cherchant avant tout à exprimer la douleur réveillée en lui par le souvenir de la maladie fatale de sa sœur Sophie. Mais de l'aveu même du peintre sont également sous-jacents dans la toile le souvenir de sa mère mourante ainsi que sa propre angoisse d'enfant maladif devant la mort. Les «chevets de malade» étaient un thème fréquemment traité à l'époque naturaliste mais Munch explique ici en quoi son tableau est particulier:

«...Je suis sûr que pas un seul de ces peintres n'avait autant que moi dans L'enfant malade *ressenti jusqu'au tréfonds toute l'amertume du sujet. Car ce n'était pas seulement moi qui me trouvais assis, là — c'était tous ceux qui m'étaient chers — »*

76

77

77 ETUDE POUR UN PORTRAIT — BETZY. 1885

76 L'ENFANT MALADE. 1885/86

Mais par dessus tout dans *L'enfant malade,* on voit à quel point Munch comprend ce que peut être l'adieu résigné d'un être jeune à une vie qu'il n'a pas vécue. Dans son premier état la toile était sur le plan technique plus audacieuse encore, car Munch avait voulu y exprimer ses émotions de manière nouvelle: il avait incisé les empâtements au couteau et à la spatule et avait même laissé couler la peinture en un fin réseau de stries, comme s'il voyait la scène à travers un rideau de larmes et de cils tremblants. Ces couleurs devaient disparaître quand il retoucha sa toile dans les années 1890. Un tableau aussi chargé d'émotion et d'une facture aussi révolutionnaire que celui-ci n'eût pas été possible si l'artiste n'avait préalablement formulé, au moins pour lui-même, les rudiments d'une esthétique expressionniste. Quand il fut exposé au Salon d'Automne 1886 sous le titre *Etude,* il produisit un choc sans précédent dans l'histoire de l'art norvégienne et souleva une véritable tempête de protestations indignées. Dès le premier jour un public hilare s'agglutina devant

45

78

78 NU DEBOUT. 1887

la toile et Munch, à son entrée dans la salle, fut même traité de «fumiste» par Gustave Wentzel, le chef de file des jeunes peintres naturalistes qui étaient partisans d'un réalisme quasi photographique.

Dans *L'enfant malade,* Munch semble faire reculer les frontières de ce qui pouvait alors s'énoncer dans un langage naturaliste. Traduire certaines émotions individuelles très profondes impliquait une forme d'expression différente de celle d'un naturalisme à la Krohg. On sait par Munch lui-même qu'il reprit sa toile vingt fois avant de l'exposer enfin sous le nom d'*Etude.* Il devait dire plus tard que cette expérience non seulement portait en elle les germes de plusieurs de ses œuvres essentielles, mais qu'elle touchait également à certaines grandes questions que devaient aborder les mouvements artistiques du XXe siècle. Il devait également qualifier son tableau de «complètement névrotique et fabriqué (cubiste) et sans couleurs.» Ailleurs il écrit:

«J'ai commencé comme impressionniste, mais quand vinrent les violents tourments et les vicissitudes de l'époque de la bohème, l'impressionnisme ne me suffit plus pour m'exprimer — Je dus chercher à traduire ce qui agitait mon esprit — J'y fus aidé par mes contacts avec Hans Jæger — (peindre sa propre vie). La première rupture avec l'impressionnisme fut L'enfant malade *— Je recherchais l'expression (expressionnisme)»*

L'enfant malade fait également penser à *L'œuvre* qui fut publié au printemps 1885 et dans lequel Zola décrit le travail obsessionnel et fébrile d'un artiste pour atteindre à la perfection à travers une unique œuvre d'art. Mais le résultat de ses incessantes retouches n'est qu'une masse informe de lignes et de couleurs. Seuls certains détails miraculeusement épargnés dans cette poursuite frénétique et angoissée de la perfection permettent encore de déceler les intentions et le génie de l'artiste. Il est tout à fait possible que la démarche du personnage de Zola ait pu influencer Munch. Dans sa critique du Salon d'Automne, Andreas Aubert se réfère d'ailleurs au roman d'une façon négative:

«Il y a véritablement du génie chez Munch. Mais il y a également un risque que ce génie ne se perde... C'est pourquoi j'aurais préféré, dans son propre intérêt, que L'enfant malade *soit refusé.... Cette «Etude» (!) dans son état actuel n'est encore qu'une esquisse inachevée aux couleurs à moitié effacées. En cours de route il s'est lassé de son travail. C'est un ratage, comme ceux que Zola a si brillamment décrits dans* L'œuvre.»

Dans le milieu de la bohème qui gravitait autour de Hans Jæger, il était de règle que l'artiste raconte sa propre vie avec une impitoyable franchise; le récit sans fard d'expériences érotiques était même devenu une

46

79

composante essentielle des livres de Jæger. A l'instar de Sören Kierke-gaard, le philosophe danois qui peut-être plus qu'aucun autre avait pen-dant plusieurs décennies imprimé sa marque sur l'art et la littérature d'a-vant-garde en Norvège, Jæger posait en principe que sincérité et vérité étaient étroitement liées. Il fut l'instigateur d'une sorte d'anarchisme lit-téraire et politique qui privilégiait particulièrement la subjectivité et pré-sentait certains traits que nous appellerions aujourd'hui existentiels. Des pans entiers des théories de Munch sur l'art se ressentent de son influ-ence, même s'il ne comprenait pas toujours lui-même la traduction que Munch en faisait en peinture. Ceci apparaît clairement dans sa critique de *L'enfant malade:* il y estime que Munch devra à l'avenir continuer à peindre les sujets qui l'ont touché, mais de façon que ceux-ci puissent aussi émouvoir d'autres que lui.

Parmi les autres toiles exposées au Salon d'Automne 1886, celle qui fit particulièrement scandale fut *Inger en noir* (1884): «son affreuse Loui-se Michel», ainsi fut-elle baptisée par le journal *Aftenposten* pour qui le nom de la célèbre anarchiste et révolutionnaire française de l'époque re-présentait le summum de l'injure.

L'année suivante au deuxième Salon d'Automne, Munch était pré-sent avec six toiles. Cette fois encore il fut la risée des critiques. Le jour-nal *Morgenbladet* lui consacra un long commentaire au ton plutôt hu-moristique, dans lequel on peut lire notamment:

47

80

80 ETUDE POUR UN PORTRAIT DU
DOCTEUR CHRISTIAN MUNCH.
1885/86

«*Dans* Jurisprudence, *la situation qui nous est dépeinte relève de la tragi-comédie. Trois jeunes gens sont assis autour d'une table, profondément absorbés dans l'examen d'un difficile point de droit. L'effort cérébral semble trop intense pour celui du milieu. Son regard fixe et hagard fait même craindre qu'il n'y ait danger pour sa raison. En une époque où il y a beaucoup trop de juristes, le tableau a peut-être pour but de détourner des études de droit les candidats éventuels.*»

De l'avis général on craint autour de Munch que celui-ci ne veuille jeter à bas les idées communément admises sur l'art et notamment qu'en exposant des toiles dont même les spécialistes ne pouvaient décider s'il s'agissait de canulars ou d'œuvres sérieuses, il ne discrédite le naturalisme alors triomphant. Munch se moquait-il du public et de ses amis artistes? Aubert remarque dans le quotidien *Dagbladet* qu'un tableau exposé pouvait littéralement se métamorphoser d'un jour à l'autre, Munch s'étant à la première heure rendu à l'exposition pour le «corriger», comme ce fut le cas entre autres pour *Jurisprudence.* Les défauts relevés par la critique pouvaient ainsi disparaître en l'espace d'une nuit.

Avec *L'enfant malade,* Munch avait fait une entrée provocatrice sur la scène artistique, mais il devait assez vite dans un premier temps abandonner cette voie. Son aspiration à l'expressivité qui fonde sans doute sa démarche dans cette toile ne pouvait s'épanouir complètement sans l'aide des éléments formels synthétiques qu'il devait acquérir à Paris après 1889, au contact d'œuvres comme celles de Gauguin, de Van Gogh ou de Toulouse-Lautrec. C'est pourquoi *L'enfant malade,* l'*Autoportrait* de 1886 et le portrait de son père à la manière de Carrière témoignent d'une halte provisoire dans ce cheminement.

Dans une étude préparatoire à *L'enfant malade* ou plutôt sans doute une variation plus élaborée sur le même sujet, la mère devient la figure centrale. Désespérée, elle se jette sur le sol en se prenant le visage dans les mains. L'enfant est ici à peine visible et la lumière du jour, d'abord captée par une carafe d'eau sur la table, se dilue ensuite à travers la pièce. Sur l'envers de cette étude et dans les mêmes tonalités, Munch avait peint une scène de cabaret. Une bouteille de vin y joue le même rôle que la carafe d'eau au chevet de l'enfant malade. L'artiste souhaitait-il ainsi symboliser le contraste entre deux mondes opposés?

Avec *Le printemps,* Munch reprend le thème de *L'enfant malade* dans un style naturaliste assez conventionnel qui doit manifestement beaucoup à Christian Krohg bien qu'il n'y ait ici aucune résonance révolutionnaire ni dans le sujet ni dans la facture. Cette toile devint très vite la plus appréciée de ses œuvres car c'était le genre de peinture qui plaisait à tout le monde, y compris à Hans Jæger. Le mouchoir taché de sang y suggère la maladie mortelle de la jeune fille aux cheveux roux; la

81

82

81 CHAMBRE DE MALADE.
   ETUDE. 1886/89
82 CABARET. 1886/89

83

83 LE PRINTEMPS. 1889

84 LE RACCOMMODEUR DE
FILETS. 1888

84

femme assise en train de. tricoter introduit le seul élément sonore de la
scène et l'attention se concentre sur ses mains. Son tricot est à l'image
du destin: quand le fil casse, c'est la vie qui s'arrête. Ce symbolisme des
faits et gestes de la vie quotidienne était caractéristique d'une certaine
peinture naturaliste. Le coloris lourd et sombre contraste avec la lumière
vibrant au dehors, tout comme la mort contraste avec la vie. Le soleil du
tableau est «le soleil d'Oswald» comme l'expliquera Munch plus tard, en
référence aux *Revenants* d'Ibsen.

En 1886, au grand Salon de la peinture nordique auquel il se rendit
à Copenhague, Munch eut de nouveau l'occasion d'avoir un large aperçu
de l'art international contemporain; il put observer ses propres tableaux
à la lumière du naturalisme norvégien et scandinave. Il put aussi compa-
rer son œuvre et celui de ses confrères avec l'art français tel qu'il apparaissait à travers la grande exposition de peinture française organisée simultanément et où figuraient notamment des œuvres de Monet, Manet,
Sisley et Raffaëlli. Outre un grand nombre de peintures de Salon, on
pouvait également voir des œuvres de Puvis de Chavannes et de Bastien
Lepage. (Delacroix y était présenté comme le grand précurseur de la
peinture française moderne). C'est lors de ce séjour à Copenhague que
Munch fit la connaissance du peintre et amateur d'art danois Johan

85

86

85 L'ARRIVEE DU BATEAU
POSTAL. 1890
86 INGER AU SOLEIL. 1888

Rohde dont l'intérêt pour les artistes d'avant-garde comme Van Gogh et Gauguin est connu. Munch exposait trois peintures, le portrait d'*Inger en noir,* celui plus petit de son père assis sur le sofa, de 1880, et *Studio,* également intitulé *Bohèmes,* aujourd'hui disparu (mais dont la composition a été conservée dans une eau-forte *La bohème de Christiania I*). Cette dernière toile, très moderniste et de facture très insolite provoqua un long débat dans les colonnes de la revue d'art danoise *Kunstbladet.* Christian Krohg s'y élevait contre les artistes de la jeune garde norvégienne et affirmait que s'ils réussissaient si mal, c'était qu'ils étaient très peu capables. De l'avis général, Munch était là le premier visé.

La même année, celui-ci peignit toutefois plusieurs compositions typiquement naturalistes dans la mouvance de Christian Krohg, comme *Le raccommodeur de filets, L'arrivée du bateau postal* et *Inger au soleil.* Dans cette dernière toile, l'influence de Krohg est plus accusée que jamais. De la même période le portrait de face de la tante de l'artiste est également une œuvre purement naturaliste dans laquelle Munch a su rendre les qualités de force et de dévouement du modèle. Cette adhésion de Munch au naturalisme qui, avec *L'enterrement paysan* (1885) de Werenskiold s'était définitivement affirmé comme le style du temps, ne fut cependant pas perçue à l'époque par les critiques. Au contraire, aux

51

87

87 HANS JÆGER. 1889

yeux de ses contemporains, ce qui apparaissait comme de plus en plus évident c'était son radicalisme intrinsèque à une période où justement la postérité croira déceler en lui certaines concessions. Avec du recul, l'art de Munch dans les années immédiatement postérieures à *L'enfant malade* peut en effet être considéré comme faisant preuve d'une relative soumission aux impératifs du temps. Mais cependant subsistèrent toujours en lui une révolte sous-jacente ainsi que la volonté d'infuser un contenu psychologique nouveau dans des formes communément acceptées, ce qui heurtait le public. Après 1886, Munch qui jusqu'alors avait appartenu à tout un groupe de jeunes artistes d'avant-garde non conformistes se retrouva le seul peintre à mériter cette étiquette dans les cercles bornés du Christiania d'alors.

Dans *Heure du soir,* de 1888 également, on peut voir sur la gauche du tableau, sa sœur débile Laura, mélancolique et prostrée, entièrement perdue en elle-même. A la façon des figures qui peuplent les paysages du naturaliste français Bastien Lepage — dont l'influence était grande à l'époque — elle regarde fixement dans le vide. L'utilisation prudente et un peu sèche de la couleur rappelle également ce peintre et indique que Munch avait attentivement étudié ses tableaux à Copenhague. Mais les résonances psychologiques sont ici de loin plus nombreuses et plus troublantes que dans aucune des toiles alors très appréciées du peintre français. Exposé au Salon d'Automne, *Heure du soir* fut très mal accueilli par les censeurs *d'Aftenposten:*

«Le tout est si indescriptiblement mauvais que c'en est presque comique..... Accepter de tels tableaux à l'exposition témoigne soit d'une totale méconnaissance de sa propre mission et de ses responsabilités, soit d'un manque absolu de sens artistique; cela ne peut que dévaloriser notre art aux yeux du public et semer le désordre et la confusion parmi les jeunes artistes.»

Personne ne vint contester ce verdict et ses «tièdes amis» comme il les appelle, «les peintres les plus connus ainsi qu'Aubert», semblent maintenant s'accorder pour penser que la presse devrait faire silence sur l'œuvre de Munch. En privé, certains artistes dont Erik Werenskiold expriment leur indignation en termes violents. Toutes ces attaques et aussi le besoin de préciser ses intentions expliquent peut-être pourquoi Munch organise en avril-mai 1889 au Studentersamfund (Association des étudiants) de Christiania une exposition personnelle où il présente soixante-trois peintures et un grand nombre de dessins. Les toiles les plus importantes sont *Le printemps* (portant la mention «inachevé» dans le catalogue) et le portrait récemment terminé de Hans Jæger, dans lequel celui-ci pose nonchalamment assis, pardessus boutonné et chapeau sur la tête dans l'appartement manifestement envahi par le froid glacial

88

de l'hiver. C'est là un admirable portrait psychologique d'un homme déjà marqué. La moitié droite du visage semble encore exprimer un dur cynisme, tandis que la gauche trahit une profonde angoisse. La main détendue mais puissante et le verre à whisky sur la table nue contribuent à donner le ton dans ce chef-d'œuvre de peinture psychologique qui fit écrire à Andreas Aubert:

88 HEURE DU SOIR. 1888

«Dans le portrait de Hans Jæger, tout sordide et brutal qu'il soit, il réussit à nous convaincre de son talent à dépeindre un caractère avec vie et intelligence, ainsi qu'à trouver une présentation efficace.»

53

89

90

91

89 EDVARD ET SA SŒUR
   SOPHIE. 1889
90 BERTA ET KARLEMANN. 1889
91 LE BAL. 1889

Cette exposition eut au moins pour résultat que Munch soit qualifié d'«artiste parvenu à maturité» par le critique signant K. H. dans le *Dagbladet*, tandis que Christian Krohg écrivait d'une plume enthousiaste dans le *Verdens Gang*:

«Il peint — autrement dit — il voit différemment des autres artistes. Il ne voit que l'essentiel et ne peint évidemment que cela. C'est pourquoi les tableaux de Munch sont généralement «inachevés» comme les bonnes gens sont si ravis de pouvoir le découvrir eux-mêmes. Mais si! Ils sont achevés. Achevés pour lui. Une œuvre d'art est achevée quand son auteur a vraiment pu dire tout ce qu'il avait en lui et c'est là justement que réside la supériorité de Munch sur les peintres de l'autre génération: il sait véritablement nous montrer ce qu'il a ressenti, ce par quoi il a été ému et c'est cela qui commande tout le reste.»

L'intérêt que Munch commençait à susciter dans les milieux extérieurs aux cercles d'artistes, de critiques ou d'amateurs peut se mesurer au texte de l'annonce qui parut le 9 mai 1889 dans le journal *Social-Demokraten:*

«Les membres de l'Association socio-démocrate et tous les adhérents du syndicat sont informés qu'ils peuvent à partir d'aujourd'hui visiter l'exposition des peintures de Monsieur Munch dans la petite salle du Studentersamfundet. L'entrée coûte 10 öre et l'exposition est ouverte tous les jours jusqu'à 9 heures et le dimanche presque toute la journée.»

Cette grande exposition qui présentait un vaste panorama de son œuvre depuis ses toutes premières toiles jusqu'aux plus récentes suscita la stupéfaction générale. Qu'un jeune artiste aussi contesté soumette ainsi l'ensemble de sa production au jugement du public constituait un évènement sans précédent qui, pour le journal *Aftenposten*, témoignait «d'un haut degré d'audace et d'un manque d'autocritique.» Mais la réputation de Munch en sortit grandie: il apparaisssait désormais comme un talent sans doute déroutant mais certainement exceptionnel. Dans le *Dagbladet*, Andreas Aubert développa l'idée que parmi les jeunes peintres, Munch devrait être un des tout premiers à bénéficier d'une bourse de deux ans «à la condition expresse toutefois qu'il trouve un bon maître pour lui enseigner le dessin d'après le modèle vivant et que de plus il

92 SUR LE SOFA. 1889
93 SOIR SUR L'AVENUE KARL
   JOHAN. 1889

92

93

55

soumette à la fin de la première année de sérieux échantillons de son travail». Munch posa sa candidature et obtint la bourse en question. Il partit dès l'automne pour Paris où il alla dûment s'inscrire comme élève chez Léon Bonnat, portraitiste très traditionnel mais extrêmement influent, qui dispensait son enseignement et ses conseils à des artistes venus de l'Europe entière chercher le succès au Salon de Paris.

Avant de quitter la Norvège, Munch avait rédigé un «Journal» intime qu'il avait également illustré. C'est là qu'apparaît pour la première fois l'idée d'un art d'inspiration essentiellement autobiographique, idée qu'il devait plus tard développer plusieurs fois dans sa *Frise de la vie.* On y trouve notamment une longue description de la scène qui est à l'origine du tableau *Soir sur l'avenue Karl Johan,* lequel ne sera peint qu'en 1892. Inspiré par le mot d'ordre de la bohème de Christiania: «écrire sa propre vie», Munch avait dès 1886 noté sur des feuilles volantes ce qui devait devenir la matière de ce Journal: tragiques souvenirs d'enfance ou tendres expériences amoureuses, aperçus sur la vie de la bohème dans les cafés de Christiania et réflexions sur l'art.

Dans les récits de son enfance, il se donne le nom de Karlemann et appelle «Berta» sa sœur Sophie, puis dans la dernière partie du Journal on le retrouve sous le pseudonyme de Nansen (qui est également le sien dans le roman à clefs de Colditz *Kjærka — un intérieur d'atelier).* Le désordre des thèmes qui s'entrelacent sans liens apparents pose en fait le

94 LE BAL. 1885/89

94

56

95

95 LA PETITE PIANISTE. 1889

problème de la conscience du temps. Munch écrira lui-même plus tard que «ces notes étaient en partie des observations psychologiques (psycho-analytiques) qui devaient prendre place dans un grand ouvrage et être illustrées par des lithographies.» Le Journal avec ses illustrations était sans doute une première mouture de ce projet.

La dernière partie du Journal est composée de réflexions théoriques dans lesquelles Munch se déclare violemment hostile à toute conception artisanale de l'art et préconise ce qu'il appelle une peinture émotionnelle. Il est partisan d'une esthétique du vécu assez proche de celle que formulait Christian Krohg dans son jugement sur l'exposition indépendante de Munch mais plus radicalement expressionniste encore. Un des traits les plus caractéristiques à cet égard est l'extrême valorisation de la

96

96 FEMME NUE SUR LA PLAGE.
1886

subjectivité aussi bien dans l'appréhension du vécu que dans la vision sélective de l'artiste:

«Le problème est que selon les différents moments, on voit avec des yeux différents. On ne voit pas de la même façon le matin ou le soir et la façon dont on voit dépend également de l'humeur... Si par exemple on sort le matin d'une chambre à coucher sombre pour entrer dans le salon, on verra tout comme baigné dans une lumière bleutée. Même sur l'ombre la plus profonde flotte un air lumineux. Au bout d'un moment, on s'habitue à la lumière, les ombres foncent et tout devient plus net. Pour rendre une telle expérience en peinture.... il ne suffit pas de s'asseoir et de peindre les choses «exactement comme on les voit». Il faut rendre... ce que l'on a vu au moment où le sujet s'est imposé à vous.. Quand on est en train de boire en compagnie de ses amis, on voit d'une autre façon — souvent le dessin se brouille — tout a l'air plus chaotique. Comme on le sait, il arrive qu'on voie franchement mal... Si l'on voit double, il faut par exemple peindre deux nez. Et si l'on voit un verre de guingois, il faut le peindre de guingois... Une chaise peut vraiment avoir autant d'importance qu'une personne. Mais il faut que cette chaise ait été vue par une personne, qu'elle l'ait émue d'une manière ou d'une autre et que ceux qui regardent le tableau soient émus à leur tour. Car ce qu'il faut peindre, ce n'est pas la chaise mais ce qu'on a ressenti en la voyant.»

Ces réflexions s'inscrivent directement dans la ligne des théories de Hans Jæger pour qui justement l'œuvre d'art doit exprimer ce qu'a ressenti l'artiste et qui l'a poussé à peindre son tableau. Mais Munch va encore plus loin dans la voie de l'existentiel et de l'expressionnisme. Ce qui prime pour lui, c'est la charge émotionnelle et ce n'est pas un hasard si parmi les dessins de son Journal, on trouve entre autres des études pour *Le bal* ou *Inger au piano* qui sont proches de l'impressionnisme.

A l'automne 1889, au moment où il part pour Paris, il expose *Le soir* au Salon d'Automne; cette toile qui portera plus tard le titre d'*Inger sur la plage* était une fois encore si insolite et si «différente» que le public comme la critique la jugèrent totalement incompréhensible et qu'elle déchaîna une tempête de protestations proche de celle qu'avait suscitée *L'enfant malade*. La femme vêtue de blanc assise seule sur la plage est enveloppée d'une sorte de halo en forme de traîne et la nature autour d'elle semble le reflet de son état d'âme. La technique, assez libre et proche de l'esquisse, dans laquelle Munch était passé maître fut cependant considérée comme l'expression extravagante d'un tempérament névrotique. Les cailloux de la plage en particulier, dont les couleurs s'organisent sur la toile selon leur loi propre restèrent une énigme. Pourtant la tonalité pâle, sèche et néanmoins ardente, l'expression figée qui reste musicale

97

dénotent que Munch, comme tant des grands peintres de son époque et notamment Gauguin, avait été profondément influencé par Puvis de Chavannes qu'il avait maintes fois eu l'occasion d'étudier. La plage est celle du petit village de pêcheurs d'Åsgårdstrand et le modèle, la plus jeune sœur du peintre. Le tableau fut acheté par Erik Werenskiold, l'un des chefs de file du groupe dit «la colonie de Fleskum» qui depuis 1886 s'était spécialisé dans la peinture de scènes élégiaques de la nuit d'été norvégienne.

98

99

98 NU DEBOUT. 1889
99 NU DEBOUT. 1889
100 NU COUCHE. 1889

100

BOURSE D'ETUDES A PARIS
1889 — 1892

Dès son arrivée à Paris au début d'octobre 1889, Munch — on l'a vu — s'inscrivit comme élève dans l'atelier de Léon Bonnat. Si le maître fut manifestement très content des dessins de son élève, celui-ci était par contre moins convaincu de l'enseignement qu'il recevait. Une controverse s'éleva même à propos des couleurs à employer, Munch ayant donné à un mur blanc des tonalités tirant sur le vert alors que Bonnat soutenait qu'elles devaient tirer sur le rouge. Revenant sur cette période un peu plus tard Munch écrit:

«Je travaille à l'atelier le matin, je tends le bras et mesure avec mon crayon les proportions du corps du modèle nu, debout au milieu de la pièce. Combien de fois la longueur de la tête est-elle contenue dans le reste du corps, quelle est la largeur de la poitrine par rapport à la hauteur totale. Cela m'ennuie et me fatigue — m'assomme.»

Il avait cependant tout loisir de se lancer à la découverte des milieux artistiques parisiens, et c'était ce qui l'intéressait vraiment. L'exposition universelle du Champ de Mars, où le jury norvégien n'avait pas jugé bon de lui laisser présenter une toile plus audacieuse que *Le matin* (1884), offrait un extraordinaire panorama de l'art moderne européen. En marge de cette grande manifestation, on pouvait également voir les œuvres d'avant-garde impressionnistes et synthétistes au café Volpini, qui devait plus tard devenir si célèbre avec Gauguin et le groupe de Pont-Aven. Des tableaux de van Gogh étaient également présentés chez son frère Théo. Au Salon des Indépendants figuraient des précurseurs comme van Gogh — avec son expressive *Nuit étoilée* — Signac et Seurat. Henri de Toulouse-Lautrec y conquit la célébrité avec *Le bal du Moulin de la Galette* dont les visages verts et rouges semblables à des masques ont sans doute fortement influencé Munch dans sa *Frise de la vie*. On pouvait

101

101 EDVARD MUNCH. Vers 1890

61

102

103

aussi étudier la première génération impressionniste: chez Georges Petit il y avait une grande rétrospective de l'œuvre de Monet, Camille Pissaro était très largement représenté chez Durand-Ruel et Raffaëlli exposait au Champ de Mars plusieurs de ses caractéristiques intérieurs de café. C'est à cette époque que Munch abandonna définitivement le naturalisme.

En partie pour fuir l'épidémie de choléra qui frappait la capitale et aussi pour travailler dans le calme, il alla s'installer sur les bords de la Seine à Saint-Cloud où il loua une chambre au-dessus d'un café. Il y vécut relativement à l'écart de la petite colonie des peintres norvégiens de Paris, bien qu'il vît assez souvent le poète symboliste danois Emanuel Goldstein. Il poursuivait également ses activités littéraires: notes isolées et nouveau Journal. Comme dans le précédent, les évocations de la mort de sa mère et de sa sœur ainsi que du mal funeste qui le menaçait lui aussi viennent de façon apparemment désordonnée s'y mêler aux souvenirs de ses nombreuses aventures amoureuses à Christiania dans le milieu de la bohème, le tout ponctué de notations impressionnistes sur le sens de l'art. Mais le thème essentiel de tout ce qu'il note au cours de ce premier hiver reste cependant sa fondamentale solitude. La mort subite de son père en 1889 est pour lui un choc qui le pousse à écrire encore davantage:

«*Et je vis avec les morts — ma mère, ma sœur, mon grand-père, mon père — lui surtout — Tous les souvenirs — les moindres choses — me reviennent en foule — Je le revois tel que je le vis — pour la dernière fois il y a quatre mois quand il m'a dit adieu sur le quai — nous étions un peu timides l'un envers l'autre — nous ne voulions pas trahir la peine que nous causait en fait cette séparation — Combien nous nous aimions malgré tout — Combien il se tourmentait la nuit à cause de moi, de ma vie — parce que je ne pouvais partager sa foi.*»

Alors que dans les années 1880 Munch avait généralement donné l'impression d'être un artiste hypersensible et raffiné, amoureux de la beauté et attentif à tous les jeux de la lumière, il semble après la mort de son père sombrer dans une profonde mélancolie.

La toile maîtresse de cet hiver à Saint-Cloud est intitulée *La nuit.* On y voit la chambre de l'artiste et près de la fenêtre une silhouette prostrée, coiffée d'un haut-de-forme, presque semblable à une ombre. Si Emanuel Goldstein servit de modèle, il s'agit cependant ici sans aucun doute de Munch lui-même. Sur le sol de la chambre par ailleurs vide, tombe l'ombre symbolique de la croisée. Une lueur jaune vient de la rue, tandis que la pièce et la silhouette à peine visible baignent dans un noir bleuté. Par cette tonalité dominante bleutée la toile rappelle James

104

105

106

104 LA NUIT. 1890
105 ESQUISSE POUR LA NUIT. 1890
106 ETUDE POUR LE VAMPIRE.
Vers 1890

Whistler mais l'utilisation expressive de l'espace s'apparente plutôt à van Gogh. L'impression profondément mélancolique et méditative est créée notamment par le contraste entre la vie du dehors et le silence de l'intérieur.

Au début du mois de mars 1890, Munch reçoit de son ancienne amie Aase Nörregaard une lettre amusante et pleine de verve. On peut

107

108

voir au musée Munch d'Oslo un brouillon de sa réponse qui laisse entendre que le chagrin exprimé dans *La nuit* est également dû à l'absence de la femme aimée:

«Combien de soirs suis-je resté assis seul près de la fenêtre, regrettant que vous ne soyez pas là pour admirer avec moi le clair de lune — avec toutes les lumières de l'autre côté et les lampes à gaz le long de la rue — et tous les bateaux à vapeur avec leurs lanternes vertes et rouges et leurs lanternes jaunes. Et puis cette étrange pénombre dans la pièce — avec le lumineux rectangle bleuté que jetait la lune sur le sol —.»

Ce tableau si chargé d'émotion peut également s'analyser comme une étude de la lumière. C'est d'ailleurs le cas de beaucoup de ces toiles peintes à Saint-Cloud qui toutes ouvrent de la chambre sur la Seine. Cette continuité rappelle les longues variations de Monet sur un même motif vu sous différents éclairages. Munch enregistre la lumière sous ses facettes les plus changeantes et de nouveau l'observation de la nature joue le rôle essentiel. Dans les toiles les plus lumineuses, il semble s'être essayé à la technique pointilliste de Georges Seurat qui avait été très remarqué au dernier Salon des Indépendants du mois de mars précédent.

La mort de son père ne fut pas seulement pour Munch une tragédie personnelle; elle entraîna également un changement radical sur le plan matériel. En effet, il se retrouvait soudain chef de famille. La nouvelle du décès lui parvint trop tard pour qu'il pût assister à l'enterrement. C'est pourquoi il existe une importante correspondance datant de cette épo-

107 LA SEINE A ST-CLOUD. 1890
108 LA SEINE A ST-CLOUD. 1890

64

109

110

109 LA SEINE A ST-CLOUD. 1890

que, révélant notamment combien était précaire la situation pécuniaire de la famille. Le père était mort en ne laissant ni argent ni pension. La tante ainsi que les frères et sœurs avaient d'abord espéré recevoir l'aide de parents fortunés du côté paternel ou maternel, mais aucun ne fit le moindre geste. Le 5 janvier, la tante écrit qu'Andreas sera sans doute obligé de souscrire un emprunt pour pouvoir faire ses études:

«J'avais à cet égard compté sur les riches membres de la famille. Peut-être proposeront-ils quelque chose plus tard.»

111

111 L'AVENUE KARL JOHAN. 1890
112 LA RUE CHRISTIAN IV SOUS
    LA PLUIE. 1890/92
113 JOUR DE PRINTEMPS SUR
    L'AVENUE KARL JOHAN. 1890

112

113

Andreas reçut effectivement par la suite une petite somme qui lui permit de terminer ses études de médecine, mais dans ses lettres à Edvard, tante Karen continue à regretter l'absence d'aide de la famille. Sans doute le radicalisme artistique de leur neveu n'était-il pas étranger au silence de ces riches et respectables parents. Dès février, tante Karen comprendra qu'ils ne devront compter que sur eux-mêmes:

«Tu sais — notre situation est assez précaire, sans le moindre soutien — si seulement nous avions suffisamment pour le loyer — C'est Dieu qui nous a miraculeusement aidés à joindre les deux bouts cet hiver.»

Pendant les vingt années qui suivirent, ils durent se contenter du strict minimum pour subsister. Grâce à un travail sans relâche et à des trésors d'ingéniosité (Inger donnait des leçons de piano et la tante fabriquait des «articles souvenirs» pour le magasin Husfliden), ils survivaient tant bien que mal d'un mois à l'autre. Malgré l'état désastreux de ses propres finances, Edvard leur envoyait aussi souvent que possible de petites sommes pour les aider. De la même manière qu'au cours de ces dix premières années il allait traduire en peinture ses attaches affectives avec le

114

foyer de son enfance, de même il se sentait lié aux survivants par un sentiment de responsabilité morale.

Pendant la première année qui suivit la mort de son père, ses difficultés personnelles et financières se reflètent peu dans ses toiles dont la plupart sont assez proches de l'impressionnisme. Plus tard il notera:

«Lors de mon premier séjour à Paris, j'ai fait deux ou trois expériences de pointillisme à l'état pur — uniquement des points de couleur — l'avenue Karl Johan, la Galerie de Bergen — Ce fut une brève résurgence de l'impressionnisme en moi.»

Le tableau auquel Munch fait ici allusion est *Jour de printemps sur l'avenue Karl Johan:* bien que la nature ait été ici directement observée,

67

115

115 LES BUVEURS D'ABSINTHE.
1890

116 AU CAFE, ST-CLOUD. 1890

116

s'en dégage une impression de rêve hors du temps. Dans une étude préparatoire l'avenue est représentée sous l'angle opposé, face au Storting
(le Parlement). Là aussi on voit comment Munch essaie alors de regrou-
per les éléments picturaux et de les pousser vers l'abstraction afin d'en
renforcer l'expressivité.

Les toiles qu'il présenta au Salon d'Automne de Christiania cette année-là donnaient une vision assez variée de sa production; il semblait
avoir voulu montrer tout le profit qu'il avait tiré de sa bourse d'études et

117

118

118 A LA TAVERNE. 1890

117 CHEZ LE MARCHAND DE VIN.
1890

d'ailleurs, malgré de nombreuses réserves, la critique se montra beaucoup mieux disposée à son égard. Outre *Jour de printemps sur l'avenue Karl Johan, La nuit* et plusieurs paysages représentant la Seine et le Bois de Boulogne, il exposa une toile intitulée *Une confession.* Avant le Salon, celle-ci avait été vendue à un millionnaire américain, Mc Curdy, qui ne souhaitait pas la voir présentée sous son titre originel *Les buveurs d'absinthe.* Elle représente deux hommes jeunes avec une bouteille d'absinthe et des verres, plongés dans l'état d'absence caractéristique de l'ivresse due à cette liqueur. Nous ne connaissons malheureusement pas tous les tableaux figurant à ce Salon d'Automne, cinq sur les dix exposés ayant été détruits par le feu peu après la clôture de l'exposition. Dans la correspondance échangée avec la compagnie d'assurances, l'une de ces toiles est décrite comme «La dame sur un lit» et était sans doute une première version du *Lendemain.* Une autre, désignée comme «Une dame (demi-figure) avec un paysage» peut avoir été la version initiale de *La voix.* Parmi les œuvres perdues figuraient également des vues du «canal à Paris» et un petit format représentant une plage; enfin un «bistrot français (deux messieurs et une dame)» était peut-être du même type que *A la taverne* et *Chez le marchand de vin* qui représentaient le café

69

119 PROMENADE DES ANGLAIS,
    NICE. 1891

119

au-dessus duquel logeait Munch à Saint-Cloud et qui étaient exécutés dans un style rappelant Raffaëlli.

Munch était déjà reparti pour le Continent avec sa deuxième bourse d'études en poche, quand en novembre 1890 la nouvelle de l'incendie lui parvint à l'hôpital du Havre où il avait dû être admis à la suite d'une crise de rhumatisme articulaire. Pendant ce séjour, il note plusieurs incidents divertissants dans ses carnets «littéraires».

Munch et sa famille furent en réalité très satisfaits de cet incendie, l'assurance leur ayant versé une indemnité assez importante. Avec le produit de la vente des tableaux exposés et le montant de la bourse d'études, elle permit d'envisager l'avenir sous un jour beaucoup plus optimiste. Que Munch puisse ainsi, en raison d'une prime d'assurance, se réjouir de la perte de plusieurs de ses tableaux en dit sans doute long sur sa situation financière, mais cela montre également qu'il se sentait suffisamment maître de son art pour recréer n'importe quelle composition.

En janvier 1891 il se rendit à Paris comme prévu, mais ses rhumatismes continuant à le faire souffrir, il partit directement pour Nice où le climat était bien meilleur. Il écrit à sa tante que la Méditerranée lui fait plus de bien que tous les docteurs réunis.

A Nice Munch rédige à nouveau un Journal intime dont il adresse quelques extraits sous forme de «lettre» au quotidien *Verdens Gang*. Il y raconte qu'il est assis à sa fenêtre, prenant le soleil, et continue:

«La mer s'étend bleue devant moi — un soupçon plus foncée que le ciel — une merveilleuse couleur bleue, aérienne comme la naphte et sur la plage s'étirent paresseusement de longues vagues qui se brisent en de lourds grondements.»

120

120 LA PLAGE. NICE. 1892

C'est Munch amoureux de la nature qui s'exprime ici et qui sait le faire dans un langage simple et sincère.

Les paysages niçois lui furent en effet source d'inspiration. Les dessins ont la légèreté d'une brise d'été et dans les peintures il reprend ses expériences impressionnistes et pointillistes. La toile la plus intéressante de ce printemps-là est peut-être *Nice la nuit* dans laquelle les toits de la ville vus de sa chambre au 4e étage sont rendus dans des tonalités bleues. C'est un tableau dense et structuré où les lignes et les volumes géométriques des toits contrastent avec les souples contours des frondaisons et des collines dans le lointain.

Avant d'aborder véritablement six mois plus tard les grands thèmes comme l'amour, l'angoisse et la mort, qui viendront s'insérer ensuite dans sa *Frise de la vie,* il avait élaboré les grandes lignes d'une théorie ar-

121

121 SOUS LES PALMIERS A NICE.
1891

tistique sur «la peinture de l'avenir — terre promise de l'art.» Dans une note du 2 janvier 1891 il insiste sur la gravité existentielle et la souffrance quasi religieuse qui doivent accompagner l'acte créateur, au prix de «son sang — de ses nerfs»:

«Oui — voilà la voie vers la peinture de l'avenir — vers la terre promise de l'art. Car dans ces tableaux le peintre donne ce qu'il a de plus cher — son âme — ses peines — ses joies — il donne le sang de son cœur. Il livre l'homme — non pas l'objet — Ces images vont — doivent — pouvoir toucher avec plus de force — d'abord quelques-uns — puis d'autres encore — puis tous. Comme lorsqu'il y a plusieurs violons dans une pièce — l'un donne la note sur laquelle les autres s'accordent et tous jouent en harmonie.»

Cette insistance sur l'authenticité et la souffrance se rattache à une tradition intellectuelle spécifiquement nordique dont la figure centrale a été le philosophe chrétien Sören Kierkegaard. Munch à cette époque n'avait peut-être pas encore lu ses écrits, mais il connaissait en tout cas sa pensée grâce aux pièces d'Ibsen ainsi qu'à ses conversations avec Hans Jæger et Arne Garborg dont le roman *Hommes fatigués (Trætte Mænd, 1891)* est l'œuvre littéraire la plus proche des idées de Munch sur l'existence humaine, le rôle de l'art et l'utilisation de l'image. Plus tard celui-ci soulignera lui-même les points qui le rapprochent de Kierkegaard et en particulier des théories exprimées dans *Le concept de l'angoisse.* Cette influence, renforcée par les théories artistiques françaises d'avant-garde comme celles d'Albert Aurier qui dans une analyse de la peinture de Paul Gauguin posa en 1891 les fondements d'une théorie symboliste des arts plastiques, explique les efforts de Munch pour élaborer une base théorique à sa peinture. Rejoignant l'essentiel de la doctrine française, il se préoccupait des problèmes de la perception, qu'il concrétise en termes simples et explicites:

«Une table de billard — Entre dans une salle de billard — Après avoir regardé un certain temps ce drap au vert intense, lève les yeux — Comme c'est étrange — tout paraît rougeâtre dans la pièce — Les messieurs qui tu le sais étaient vêtus de noir ont maintenant des costumes incarnats et la salle est rougeâtre murs et plafond — Au bout d'un certain temps, les costumes sont redevenus noirs — Si vous voulez peindre l'atmosphère — avec une table de billard — vous les peindrez donc en rouge incarnat — Si l'on veut peindre l'impression immédiate — le «Stimmung» — l'élément humain — c'est ce qu'il faut faire.»

A Paris où il s'arrête en revenant de Nice en Norvège et où il a de nouveau l'occasion de se familiariser avec l'art français contemporain,

123

123 RUE DE RIVOLI. 1891

122

122 RUE LAFAYETTE. 1891

Munch peint encore deux paysages urbains: Rue Lafayette et Rue de Rivoli. Plus tard il devait affirmer que ces toiles représentèrent sa rupture avec l'impressionnisme: «— Le sujet seul était typiquement français.» Des toiles comme *Boulevard des Capucines* (1873) de Monet et *Un balcon* (1880) de Caillebotte, peint de la véranda devant son atelier à Paris ont des sujets similaires. Il est d'ailleurs probable que lors de son passage Munch rendit visite à ce dernier. Il devait pourtant affirmer que la ma-

124

124 ESQUISSE POUR MELANCOLIE.
    1891
125 SUR LA PLAGE. 1891
126 MELANCOLIE. 1891

125

126

nière de peindre ces paysages urbains, avec les petits traits parallèles du pinceau appliqués en diagonale, était dans le prolongement des méthodes qu'il avait déjà mises en œuvre à Christiania au cours des années 1880. Quant à cette utilisation marquée de la perspective si caractéristique de sa manière, elle était apparue pour la première fois dans les esquisses et les dessins pour *Souvenirs d'enfance/ De l'autre côté du portail*, notamment dans le Journal illustré de 1889, et devait trouver son expression la plus saisissante dans *Le cri*.

A Paris on pouvait voir à la fois le Salon officiel et celui des Indépendants. Mais on pouvait également voir, ce qui est plus intéressant, l'exposition que Gauguin faisait de ses toiles dans le foyer du Théâtre du Vaudeville à l'occasion de la représentation du drame de Maurice Mæterlinck *L'intruse*. Dès les années 1890 cette pièce fut en effet considérée comme ayant directement inspiré Munch dans *La mort dans la chambre de malade* et pendant ces mêmes années la parenté entre l'art de Munch et celui de Mæterlinck était souvent mentionnée comme un élément surprenant et intéressant. Le Théâtre du Vaudeville se trouvait à quelques pas seulement du 49 rue Lafayette où habitait Munch et il y a donc tout lieu de penser qu'il alla voir la pièce et l'exposition.

Bien qu'il se soit déjà essayé à la plupart des formes modernes du langage plastique qu'on pouvait étudier à Paris, Munch n'en avait pas

127

encore intégré dans sa pratique les tendances les plus radicales, celles d'un van Gogh, d'un Gauguin ou d'un Toulouse-Lautrec. Et ce sera justement dans cette voie, celle de Gauguin, du théâtre de Mæterlinck et de la poésie symboliste qu'il va s'engager pour créer sa première œuvre symboliste et synthétiste.

De retour en Norvège au cours de l'été 1891, Munch put y voir son ami Jappe Nilssen en proie aux affres de la jalousie lors de sa liaison avec Oda Lasson, épouse de Christian Krohg. Outre une description littéraire du désespoir de Jappe, cette situation lui inspire un dessin qui est sans doute la première esquisse de *Mélancolie* (également intitulée *Jappe sur la plage* et *Jalousie*), toile que Christian Krohg devait considérer comme la première œuvre symboliste ou synthétiste jamais peinte par un artiste norvégien. Il lui consacra un article entier, «Merci pour le bateau jaune»,

128

128 ETUDE POUR CLAIR DE LUNE.
     1891/92
129 ETUDE POUR UNE VIGNETTE.
     1891/92

129

quand elle fut exposée au Salon d'Automne 1891 sous le titre *Le soir.* Il la trouve «grave et austère — presque religieuse, apparentée au symbolisme, la plus récente tendance de l'art français.» Derrière la figure très structurée de l'homme au premier plan, le sable ondoyant de la plage dessine une ligne musicale qui va se fondre dans l'horizon.

Il est probable qu'une autre toile, *Les esseulés,* fut également peinte ce même été. Elle disparut plus tard dans l'incendie d'un navire en 1901 mais elle nous est connue par une photographie prise à l'exposition des œuvres de Munch à l'«Equitable Palast» de Berlin en 1892-93. Pour autant qu'on puisse en juger, elle présente certains points de ressemblance formelle avec *Mélancolie.*

Nice la nuit, également exposé au Salon d'Automne de 1891, fut acheté par la Galerie Nationale de Christiania. C'était là une décision particulièrement audacieuse car aucun autre musée d'Europe n'avait jus-

130

131

130 ETUDE POUR UNE VIGNETTE.
1891/92
131 ETUDE POUR UNE VIGNETTE.
1891/92

qu'alors fait l'acquisition d'œuvres impressionnistes aussi résolument modernes — et elle constituait pour Munch une sorte de consécration.

A la fin de l'automne 1891 Munch se vit allouer une nouvelle bourse d'étude pour retourner en France. Accompagné du peintre Christian Skredsvig, il descendit par Copenhague, Hambourg, Francfort, Bâle et Genève jusqu'à Nice où il s'installa à la même adresse que l'année précédente, au 34 rue de France. Pendant cette période française de l'automne 1891 et du printemps 1892, il va élaborer la plupart des thèmes dont il fera plus tard *La frise de la vie.* C'est ce que montrent très bien ses carnets d'esquisses où nous trouvons les premières études pour *Le vampire, Désespoir, La voix, Jalousie, Clair de lune* et *L'orage,* ainsi qu'un certain nombre d'autres croquis comme *La mort à la barre* et *Sur la route;* tous auront donné lieu à des tableaux dès avant 1895. Dessins et études sont généralement réalisés dans des formats indiquant qu'ils étaient censés illustrer des textes littéraires, de Munch lui-même ou de ses amis écrivains. Mais il est également possible que ce soit au contraire de peintures déjà existantes que soient nés ces projets d'illustration.

En 1891, pour son ami Emanuel Goldstein qui lui demandait une vignette destinée à son recueil de poèmes symbolistes *Alruner,* Munch composa une série d'esquisses, toutes dérivées de sa toile *Mélancolie.* Il s'attaqua ensuite à d'autres projets d'illustration, notamment pour les *Poèmes* de Vilhelm Krag. Là aussi il choisit comme point de départ une de ses peintures, *Les esseulés.* Cette esquisse dans laquelle il isole à côté d'un arbre une figure de femme vêtue de blanc et vue de dos sera reprise beaucoup plus tard et deviendra la merveilleuse gravure mezzo-tinto *Jeune femme sur la plage.*

Pendant ce printemps 1892 à Nice, Munch travailla particulièrement à deux séries dont l'une est consacrée au casino de Monte-Carlo et rap-

132

132 ESQUISSE POUR LA
ROULETTE. 1892

133 LA ROULETTE II. 1892

133

134

134 LA ROULETTE I. 1892

135

pelle assez l'atmosphère décrite par Dostoïevski dans son roman *Le joueur*. C'est là, pour rendre les émotions qu'il avait lui-même ressenties autour de la table de jeu, qu'il semble pour la première fois mettre en application ses théories sur les contrastes complémentaires. On y décèle une certaine parenté avec l'art de Gauguin, de van Gogh et de Toulouse-Lautrec, qu'il avait étudié et lentement laissé mûrir en lui.

Le casino de Monte-Carlo fut sans doute un lieu privilégié pour étudier les réactions de personnages placés dans des situations émotionnelles extrêmes. Munch le dépeint comme «un château ensorcelé où les démons se sont donnés rendez-vous». On y passait très vite de l'euphorie au plus sombre désespoir et dans ses notes littéraires, il décrit le triste sort des malchanceux autour du tapis vert. Il lui arrivait de jouer lui aussi et même de gagner grâce à une martingale de son cru, ce qui était pour lui l'occasion d'étudier ses propres réactions.

136 DESESPOIR. 1892

137 DESESPOIR. 1891

C'est également à Nice ce printemps-là qu'apparaît pour la première fois dans *Désespoir* le thème qui sera peut-être le plus important de son œuvre. Ce tableau, qui annonce *Le cri,* se réfère à une expérience vécue qu'il décrit ainsi dans son Journal:

80

138

139

138 SOIR SUR L'AVENUE KARL JOHAN. 1892

139 SOIR SUR L'AVENUE KARL JOHAN. 1892

«Nice, le 22.1.92
Je marchais sur la route avec deux amis — le soleil se couchait — je sentis comme une bouffée de mélancolie. Le ciel devint soudain rouge sang — Je m'arrêtai, m'appuyai à la barrière, las à en mourir — je vis les nuages flamboyant comme du sang et une épée — la mer et la ville d'un noir bleuté — Mes amis continuèrent leur chemin — je restai là frissonnant d'angoisse — et je sentis comme un grand et interminable cri traversant la nature.»

Ce même sentiment de profonde angoisse inspire une autre toile, *Soir sur l'avenue Karl Johan,* qui elle aussi se réfère à des observations écrites ainsi qu'à certaines esquisses illustrant le Journal de 1889. Elle est le reflet d'une expérience presque visionnaire. L'artiste, dont nous devinons la présence sur la droite, rencontre une multitude de passants littéralement cachés derrière leurs masques tristes et figés. Ecoutons Munch:

«Tous — tous ceux qui passaient avaient l'air si étranges et si bizarres et il avait l'impression qu'ils le regardaient avec insistance — qu'ils le fixaient — tous ces visages, pâles dans la lumière du soir — Il essayait de se concentrer sur une idée mais n'y parvenait pas, il avait le sentiment de n'avoir

81

140

141

140 AUTOPORTRAIT AU MASQUE
    DE FEMME. 1891/92
141 LE PEINTRE JACOB
    BRATLAND. 1891/92

que du vide dans la tête, il essaya alors de fixer son regard sur une fenêtre très haut mais les passants le gênèrent de nouveau — Il tremblait de tous ses membres et était inondé de sueur.»

Comme dans *Désespoir,* Munch recrée ici une expérience vécue plusieurs années auparavant. Ces retours en arrière allaient désormais devenir presque systématiques chez lui. Il se plaisait d'ailleurs à répéter: «Je ne peins pas ce que je vois, mais ce que j'ai vu.» C'est sans doute pourquoi il affirmait que sa première œuvre vraiment originale avait été *L'enfant malade* car elle est inspirée précisément par le souvenir des tragiques expériences de son enfance.

Les mutations que nous pouvons constater dans sa peinture entre 1890 et 1892 reflètent celles qui se manifestaient dans tous les domaines de la vie intellectuelle de cette époque, où le réalisme et le naturalisme étaient en train de céder le pas au néo-romantisme et au symbolisme. Dans l'un de ses carnets littéraires, il écrit que le symbolisme permet de réhabiliter «ce qui pendant plus d'une génération a été étouffé, ce dont l'homme sera toujours abondamment pourvu, à savoir le mysticisme», et qu'il permettra «d'exprimer tout ce qui est tellement subtil que c'est à peine des intuitions, des pensées, des recherches, une quantité de choses inexpliquées, d'idées en gestation n'ayant pas encore trouvé leur forme». Quelques années plus tôt, il avait donné cette définition: «Le symbolisme — c'est d'être à l'image de sa propre émotion.»

Dans *Autoportrait au masque de femme* (1981—92), il se représente comme le peintre symboliste. Le masque et l'expression figée rappellent James Ensor, comme d'ailleurs *Soir sur l'avenue Karl Johan*. Placé sous le masque démoniaque, l'artiste regarde avec angoisse devant lui. Munch emploie une manière similaire dans le portrait de Jacob Bratland; mais avec son papier peint Art Nouveau et ses formes stylisées, ce tableau est encore plus proche — si faire se peut — du synthétisme qui s'était développé dans tous les pays à partir de l'art de Gauguin.

Vision est l'une des toiles les plus résolument symbolistes peintes par Munch en 1892. Elle représente une tête d'homme sortant de l'eau et derrière cette tête glisse un cygne. A ce tableau, qui très vite devait susciter l'enthousiasme dans les milieux littéraires de Berlin, se rapportent un certain nombre de textes qui ont trait au rôle de l'artiste:

«J'étais couché dans la vase entouré de bave et de vers rampants, je voulais remonter à la surface — Je levai la tête hors de l'eau — et alors je vis le cygne — sa blancheur éclatante — j'aimais ses lignes pures — je tendis les mains pour le toucher — il s'approcha — mais ne vint pas tout à fait jusqu'à moi — puis je vis mon reflet dans l'eau — Oh! comme j'étais blême, avec de la vase dans les yeux, de la vase dans les cheveux et je compris pourquoi il avait été effrayé — Moi qui savais ce qui se trouvait sous la surface brillante je ne pouvais rejoindre celui qui vivait parmi les illusions — là, sur ce miroir qui reflétait les couleurs pures de l'atmosphère —»

142

143

142 VISION. 1892
143 VISION. 1892

83

144 VISION. 1892

144

LA «SECESSION NORVEGIENNE» DE MUNCH A L'AUTOMNE 1892

Arguant que la maladie l'avait empêché de tirer tout le profit souhaitable de la bourse de deux ans qui lui avait été allouée, Munch demanda et obtint à l'automne 1891 l'octroi d'une troisième année. Cette décision, très controversée, fut mal accueillie dans un certain nombre de milieux au point que quand il repartit directement pour Nice à la fin de l'été 1891, le bruit courut qu'au lieu d'aller étudier à Paris, la métropole des arts, il profitait de sa bourse pour s'offrir tout simplement des vacances au bord de la Méditerranée. Le célèbre écrivain et orateur Björnstjerne Björnson publia dans le *Dagbladet* un bref article intitulé: «Détournement des bourses d'artiste» qui était une attaque non dissimulée contre Munch. Il affirmait que celui-ci utilisait sa bourse comme «caisse d'assurance« devant l'aider «à se guérir de sa maladie». Munch répondit quelques jours plus tard de façon précise et argumentée mais sarcastique: après avoir réfuté ses insinuations il demandait au grand moraliste de ne pas écouter les ragots mais plutôt les informations dignes de foi; un artiste devait pouvoir décider lui-même «ce qui lui convenait le mieux pour travailler». Qu'une institution nationale comme Björnson se fût estimée autorisée à porter publiquement un tel jugement sur un jeune artiste en cours de formation montre assez la méfiance générale à l'égard de l'homme comme de l'artiste.

Conscient du discrédit dont il était l'objet, Munch ressentit sans doute le besoin de montrer publiquement la production de ses années de bourse. Mais quelle était la meilleure façon d'y parvenir? Au Salon d'Automne, seule une petite sélection de ses travaux franchirait le barrage du jury. Son évolution au cours de cette dernière année, l'utilisation de grandes surfaces monochromes et de formes sommaires comme par exemple dans *A la roulette II,* l'avaient éloigné encore davantage des autres artistes norvégiens. Dans son pays il était isolé et s'il désirait faire connaître ses nouvelles orientations, le meilleur moyen était d'organiser

145

146

145 BJÖRNSON DANS LA VIE CULTURELLE NORVEGIENNE. 1891
146 BJÖRNSON DANS LA VIE CULTURELLE NORVEGIENNE. 1891

une exposition personnelle. Cette manifestation devait, pour reprendre les mots de J. F. Willumsen, constituer «la sécession norvégienne» de Munch. Ce terme de sécession désignait alors les groupes d'artistes qui en Europe dans les années 1890 avaient rompu avec les associations de tendance conservatrice et organisé leurs propres expositions. Celle de Munch, qui d'après le catalogue comprenait 50 peintures ainsi qu'11 études et dessins, tous exécutés entre 1889 et 1892, s'ouvrit le 4 octobre 1892, au premier étage de l'immeuble du joailler Tostrup dans l'avenue Karl Johan, à peu près à la même date que le Salon d'Automne où pour la première fois depuis 1884 Munch n'était pas représenté.

J. F. Willumsen, reconnu comme le chef de file de la «sécession» danoise, l'Exposition libre (Den Fri Utstilling) à Copenhague, se trouvait justement en Norvège à cette époque. Il fit venir ses toiles de France et du Danemark jusqu'à Oslo, pour les présenter lui aussi dans une exposition personnelle qui s'ouvrit à Abels Kunsthandel quelques jours à peine après celle de Munch. L'artiste danois, qui déjà depuis 1889 comptait parmi les disciples de Gauguin, montra à l'évidence que lui aussi, et de manière beaucoup plus radicale encore que Munch, avait adopté le nouveau langage synthétiste et symboliste de son maître. Son exposition devait prouver en fait que les recherches du Norvégien se situaient dans un contexte international.

Willumsen avait fait précéder son catalogue d'une brève introduction dans laquelle il expliquait qu'il cherchait à créer «un art dont les parties intégrantes seraient disposées en différentes constellations, en sorte de produire sur l'âme des effets analogues à ceux que peuvent créer l'architecture ou la musique.» Se trouvait là résumée la théorie implicitement énoncée un an plus tôt par Christian Krohg quand, dans un commentaire du *Soir (Mélancolie)*, il constatait lui aussi, avec concision et humour: «C'est de la musique... Munch devrait toucher un cachet de compositeur.»

Cette double exposition eut pour conséquence — et c'était sans doute ce qu'avait recherché Munch — que sa peinture fut discutée et analysée par rapport à celle d'un autre artiste scandinave d'avant-garde dont les liens avec l'art français étaient très similaires aux siens. Cette comparaison avec Willumsen eut pour effet que la critique, malgré quelques réticences, fit preuve d'une certaine sympathie à l'égard de ses travaux. Le jeu exacerbé des éléments picturaux dans les toiles de Willumsen produisit un tel choc que les personnes aux nerfs fragiles se virent déconseiller d'aller les voir sous peine de risquer un accès de folie! Pour ce qui était des sujets également, la critique jugea les œuvres de Munch relativement modérées; à la différence de Willumsen, il ne montrait ni des cocottes ni des jeunes gens en proie au désir! Selon les mêmes commentateurs, les tableaux de Munch témoignaient au contraire d'une fine

147

149

148

147 IMPRESSION NOCTURNE AU
     BATEAU BLANC. 1890
148 IMPRESSION NOCTURNE AU
     BATEAU BLANC. 1890
149 IMPRESSION NOCTURNE.
     NORDSTRAND. 1890

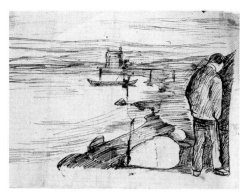

150

151

150 MELANCOLIE. 1891
151 FEMME EN BLANC SUR LA
 PLAGE. 1891

observation de la nature, qui faisait de lui «presque un classique». On peut lire dans *l'Aftenposten:*

«Si Munch se contente de suggérer à peine les impressions qu'ont faites les objets sur son esprit sensitif — quelque chose comme une «ondoyante musique futuriste» — la main de Willumsen par contre est robuste comme celle du forgeron...»

Les nouveaux tableaux peints par Munch, comme *Les esseulés* (perdu par la suite mais connu par une photographie), *Soir sur l'avenue Karl Johan, La roulette I* et *II, Vision, Le mystère d'une nuit* et peut-être surtout *Désespoir* (exposé sous le titre *Impression au soleil couchant*) suscitèrent l'intérêt des jeunes écrivains néo-romantiques influencés par l'art français. Le romancier Thomas Krag voyait dans la peinture de Munch une rupture avec la tradition picturale européenne, qui depuis la Renaissance s'était toujours efforcée de représenter fidèlement la nature; elle constituait selon lui une forme d'expression aussi directe que le poème, dans lequel l'artiste invente sa propre réalité. Krag affirmait encore que les œuvres d'art sont en elles-mêmes parties intégrantes de la nature, au même titre «qu'une fleur ou une feuille». Son frère le poète Wilhelm Krag écrivit d'ailleurs dans le *Dagbladet* un poème dédié à *Désespoir (Impression au soleil couchant)* et dont voici les derniers vers:

«Ce n'est pas un nuage au ciel rouge du soir,
ce n'est pas un reflet du jour à son départ:
ce sont langues de flamme et du sang qui éclate,
une épée fulgurante et un flot écarlate,
les affres du trépas, du dernier Jugement,
à l'entrée de la nuit un texte flamboyant,
— mystérieuse angoisse de la vie.»

Cette exposition «sécessionniste» marqua la rupture définitive de Munch avec l'art établi en Norvège; plus jamais par la suite il n'exposa au Salon d'Automne et il ne fut que très rarement représenté dans les expositions dont le jury était composé d'artistes ou de leurs organisations. Il ne figure ni à l'Exposition universelle de Chicago en 1893, ni à celle de Paris en 1900, pas plus qu'à celle du Centenaire norvégien à Frogner en 1914. Avec une assurance presque arrogante, il était parvenu à la conclusion qu'en définitive c'était l'artiste qui était le mieux qualifié non seulement pour juger mais aussi pour présenter ses propres œuvres.

152

154

154 LES ESSEULES. 1891

152 LE MYSTERE D'UNE NUIT. 1892

153

153 CLAIR DE LUNE SUR LA PLAGE. 1892

155 EQUITABLE PALAST, BERLIN. 1892

«BARBOUILLAGES ANARCHISTES» DANS LE BERLIN IMPERIAL – LE SCANDALE DE L'EXPOSITION 1892

Grâce à son exposition «sécessionniste» de Christiania, Munch put faire sa première apparition importante sur la scène internationale. Adelsten Normann, peintre norvégien spécialisé dans la représentation des fjords de la côte ouest, qui était installé à Berlin où il était membre du comité organisateur de l'exposition de l'Association des artistes, avait pu voir les toiles de Munch dans le magasin Tostrup lors d'un séjour à Christiania. Enthousiasmé, il avait suggéré à son comité d'inviter aussitôt le Norvégien à exposer dans les locaux mêmes de l'Association, à l'«Architektenhaus» qui se trouvait alors disponible. Le comité unanime accepta cette propositon et mit à la disposition de Munch sa magnifique salle en rotonde à éclairage zénital.

Comme il était de coutume dans la vénérable Association, l'exposition fut inaugurée avec toute la pompe et l'apparat imaginables. Les portes s'ouvrirent à dix heures précises et l'on entra en procession dans la salle. Comme on craignait que les peintres de la vieille génération ne poussent des hauts cris, on avait conseillé à Munch de ne pas se montrer. Des hauts cris il y eut en effet: à quelques exceptions près, le public jugea les toiles exposées proprement scandaleuses; loin d'y reconnaître une démarche artistique digne de ce nom, on n'y vit qu'une insulte à la peinture, une provocation d'inspiration anarchiste. Selon les tempéraments, on vit se déchaîner l'indignation ou l'hilarité et «Der Fall Munch» (L'affaire Munch) devint le grand sujet de conversation de tout Berlin. Quant à l'artiste lui-même, il était ravi d'avoir suscité un tel émoi dans la capitale impériale. Il écrit à sa tante Karen:

«Je ne me suis jamais tant amusé. Incroyable, que quelque chose d'aussi innocent que la peinture puisse créer un tel remue-ménage.»

156

156 INGER MUNCH. 1892

91

157

157 CARICATURE PARUE DANS LE
JOURNAL SATIRIQUE ULK,
BERLIN, 18.11.1892, no 47.

Ce qui avait provoqué ces réactions si violemment négatives, ce n'était pas tant les thèmes abordés que la technique picturale utilisée. Munch était considéré comme la vivante illustration du sort qui attendait un artiste germanique quand celui-ci se laissait influencer par la sensualité de l'impressionnisme français. Le résultat ne pouvait être que désastreux! Tout compte fait, l'exposition de Berlin apporta ainsi un argument de poids à ceux qui redoutaient de voir l'art allemand s'ouvrir à l'influence de la France, ouverture qui précisément avait été l'objectif majeur des différents mouvements sécessionnistes dans toute l'Europe du Nord.

Tandis que la presse manifestait hautement son indignation, plusieurs membres de l'Association des artistes furent convoqués par le Kaiser. Guillaume II ne se contentait pas d'être informé, il voulait exercer une réelle influence sur un projet qui lui tenait particulièrement à cœur: il s'agissait de préparer, depuis sa capitale Berlin, l'avènement d'un âge d'or purement germanique en matière artistique; s'y épanouirait un idéal de grandeur et de pureté qui ne pourrait que favoriser le développement et l'unification de l'Etat allemand. Toute influence venant de France était donc indésirable. L'entrevue avec le Kaiser fut suivie d'une réunion extraordinaire de l'Association des artistes: il y fut décidé par 120 voix contre 104 que les œuvres de Munch seraient décrochées dès le lendemain. A la suite de Max Liebermann et de Walter Leistikow, plusieurs jeunes artistes quittèrent la salle en signe de protestation: un invité était un invité et on se devait de le traiter avec courtoisie, quelqu'opinion qu'on eût de sa peinture. En réalité il est peu probable que même parmi cette jeune garde beaucoup aient vraiment apprécié la peinture de Munch. Un seul d'entre eux, Max Leistikow, prit la défense du Norvégien, mais bien qu'il se bornât pour l'essentiel à souligner l'impolitesse qu'il y avait à renvoyer quelqu'un que l'on avait officiellement invité à exposer dans les locaux de l'Association, il jugea préférable de signer son plaidoyer d'un pseudonyme, Walter Selber.

Etant donné l'accueil réservé à Munch par les Berlinois, on peut se demander pourquoi ils l'avaient invité; ceci reste d'ailleurs une énigme pour les historiens de l'art allemands comme pour les biographes du peintre. Avant cette invitation déjà régnait une certaine tension au sein de l'Association des artistes: les jeunes, autour de Liebermann et Leistikow s'opposaient en effet au conservatisme figé des plus anciens qui sous la houlette d'Anton von Werner imposaient le style pompeux de la bourgeoisie. A son arrivée, Munch eut l'impression que le clan des jeunes, auquel appartenait Adelsten Normann, était en train de gagner du terrain. Ils avaient le choix entre deux solutions: essayer de s'assurer le contrôle de l'Association, ou bien rompre avec elle et organiser leur propre exposition sécessionniste, comme cela venait justement de se produire à Munich sous l'égide de Fritz von Uhde. Ce dont il s'agissait en dernier ressort était d'ouvrir la voie aux tendances de la peinture qui s'imposaient alors à Paris. Lorsqu'il invita Munch à Berlin, Normann savait donc probablement qu'il s'ensuivrait un affrontement entre la jeune et la vieille garde. Selon toute vraisemblance, il le fit avec l'entière approbation de son clan qui estimait, à tort, que l'exposition regrouperait les modernistes et diviserait les conservateurs. Munch découvrit plus tard qu'en fait ces derniers attendaient des toiles dans le goût de Hans Gude et Adolf Tidemand, deux peintres norvégiens très appréciés à Berlin. L'exposition joua un rôle de détonateur dans l'atmosphère déjà tendue de l'Association, mais l'explosion semble avoir été plus violente que prévue. Au moment du vote, il apparut clairement que «les lamentables vieux peintres que rend furieux le nouveau mouvement» selon les propres mots de Munch, étaient parvenus à se mobiliser plus efficacement que les jeunes et les opposants.

158

La plus grande publicité ayant été faite à ce scandale, Munch devint le grand sujet de conversation de toute la ville et put même à sa grande joie entendre des inconnus parler de lui dans la rue: il était ravi. Il se trouva entraîné dans un tourbillon de réceptions données en particulier par la riche société juive amateur d'art, où il fit notamment la connaissance d'August Strindberg. Il allait patiner avec les ravissantes filles de Liebermann et se laissait volontiers charmer par les jeunes et jolies femmes. Mais cette vie mondaine finit peu à peu par le lasser, alors que parallèlement il se mettait à apprécier de plus en plus la compagnie de Strindberg qui, depuis le Café Zum Schwarzen Ferkel où il avait pris ses quartiers, régnait sur toute une cour d'intellectuels épris de littérature.

Immédiatement après la fermeture de son exposition, Munch signa un contrat avec le marchand de tableaux Eduard Schulte qui désirait montrer ses toiles à Dusseldorf et à Cologne. Il n'était pas prévu de les vendre, mais seulement de partager les recettes de l'entrée à l'exposition. Le public se pressa en foule pour voir ces œuvres qui avaient provoqué un tel scandale dans la capitale. Dès septembre cependant l'exposition était réinstallée à Berlin, au centre de la ville, dans les élégants locaux de l'Equitable Palast que Munch avait loués. En l'espace d'un seul mois les recettes brutes atteignirent un montant de 1800 marks, ce qui représentait le salaire annuel d'une famille moyenne. Une photographie de l'époque nous montre comment Munch amoncelait littéralement ses tableaux sur les murs. Les cadres étaient des plus ordinaires, la toile était souvent mal tendue sur le chassis et les dessins étaient simplement fixés à l'aide de punaises, sans passe-partout ni baguettes. La même photographie permet d'identifier plusieurs des tableaux exposés et de constater que la sélection primitivement présentée chez le joailler Tostrup à Christiania avait été complétée par certaines toiles des années 1880 comme notamment *Tête-à-tête, L'enfant malade, Le bal* et *Le printemps*.

159

158 HOLGER DRACHMANN. 1893
159 GUNNAR HEIBERG. 1892

93

160

160 »ADIEU«. 1889

161 LE BAISER. 1892

161

Ainsi l'exposition de Berlin possédait-elle un caractère plus convention-nel que celle de Christiania et il n'y a donc pas lieu de supposer qu'à l'o-rigine Munch ait eu l'intention de faire scandale. Légèrement remaniée elle fut ensuite envoyée, sous la forme de «spectacle payant» à Copenha-gue, Breslau, Dresde et Munich où la tournée prit fin en juillet. Le suc-cès de scandale avait été en fait exploité de façon extrêmement efficace.

Munch loua ensuite un atelier à Berlin, où il travailla assidûment tout l'hiver et le printemps suivants. A part quelques portraits, il peignit surtout des toiles qui fourniront plus tard la matière de sa *Frise de la vie.* Dans une lettre écrite fin mars 1893 à Johan Rohde à Copenhague au sujet de la présentation dans cette ville de la «fameuse» exposition, se trouve mentionné le projet d'une «série de tableaux» qui comprendrait les œuvres les plus audacieuses montrées à Berlin, comme par exemple *Les esseulés, Désespoir* et *Vision:*

«Ces toiles, qui étaient alors assez incompréhensibles, seront je crois plus fa-ciles à comprendre une fois qu'elles seront toutes rassemblées — il y sera question de l'amour et de la mort —»

94

162 DAGNY JUEL
PRZYBYSZEWSKA. 1893

162

95

163 STANISLAW PRZYBYSZEWSKI.
1893/95

163

Plus tard Munch devait à maintes reprises réaffirmer que les thèmes développés dans *La frise de la vie* avaient leur origine dans les conflits qui déchirèrent les cercles intellectuels de Christiania dans les années 1880 et n'étaient en rien redevables à une influence allemande, comme cela avait été si souvent dit. La preuve en était notamment que bien des années auparavant il les avait déjà exprimés sous une forme littéraire avant de leur donner vie sur la toile. A Erik Lie qui l'interrogeait en 1897 lors de l'exposition de certaines parties de la *Frise* dans les salles Diorama, il expliquera: «Presque tout ce que tu vois là a commencé sous la forme d'un manuscrit. J'en ai écrit une bonne partie il y a dix ans...» Comme nous l'avons vu, c'est en France qu'il trouve l'inspiration essentielle de cette transcription picturale, mais on ne peut nier cependant que l'Allemagne ait également joué un certain rôle. En se rendant à Nice à l'au-

164

165

165 LA TEMPETE. 1893

164 CLAIR DE LUNE. 1893

tomne 1891, il s'était arrêté à Hambourg où il avait visité le «Kunsthal-le»; là, les paysages symbolistes de Böcklin le fascinèrent par leur profondeur et leur limpidité de coloris. Il écrivit un long commentaire sur *Le bois sacré,* dans lequel il porte par ailleurs un jugement extrêmement sévère sur la peinture allemande:

«Exécrable art allemand — femmes lascives — scènes de bataille avec chevaux cabrés — et étineclants boulets de canon — tu es dégoûté, écœuré, jusqu'à ce que tu t'arrêtes devant une toile de Böcklin — la flamme sacrée.»

Six mois plus tard il réaffirme son admiration pour le peintre allemand, cette fois dans une lettre à Johan Rohde:

166

166 FEMME A L'AUREOLE. 1893

«Si lamentable que soit la production artistique d'une façon générale ici en Allemagne, je dirai cependant une chose — elle a l'avantage d'avoir fait naître dans ce pays quelques artistes qui sont tellement au-dessus des autres et tellement isolés — comme Böcklin par exemple que je placerais presque au-dessus de tous les peintres de ce temps.»

Plusieurs paysages peints par Munch au cours de l'été 1893 ont un coloris sombre et rougeoyant qui les distingue très nettement de leurs modèles français et s'explique probablement par l'influence directe de Böcklin. Ceci vaut notamment pour *Nuit d'étoiles, Clair de lune* et *La tempête* qu'on a d'ailleurs souvent comparé à *Die Toteninsel (L'île des morts)* de l'Allemand.

Dans les œuvres graphiques de Max Klinger on peut également trouver, bien que de manière assez superficielle sans doute, certaines parentés avec les thèmes de Munch. La série *Eine Liebe* est peut-être la plus significative à cet égard. Munch connaissait déjà bien les œuvres de Max Klinger avant de venir en Allemagne, non seulement parce qu'elles étaient largement diffusées, mais surtout parce que son maître Christian Krohg s'était lié d'amitié avec l'artiste allemand, lors de son séjour à Berlin à la fin des années 1870.

Si Munch passa les quatre hivers suivants à Berlin, ce n'était certainement pas qu'il en trouvât le milieu artistique particulièrement inspirant, bien au contraire. Quand il s'installa dans la capitale, il y était en fait le seul représentant de l'avant-garde. Il entretenait fort peu de contacts avec ses confrères allemands et apparaissait comme un personnage isolé et indépendant. Peut-être était-il influencé par le concept du génie solitaire qui s'élève au-dessus de la foule et trouve en lui-même la matière essentielle de son art, comme un Wagner pour la musique ou un Nietzsche pour la philosophie. Le public allemand, s'il était prompt à condamner, était également prêt à admirer et même à révérer le Grand Homme, le Génie. Tout ceci peut contribuer à expliquer pourquoi Munch puisa de manière aussi systématique dans les évènements de sa vie et sa propre expérience pour nourrir les thèmes les plus importants de son œuvre.

A la différence du milieu artistique cependant, le milieu littéraire et intellectuel à Berlin était extrêmement actif et constituait un pôle d'attraction pour toute l'Europe du Nord. C'est ce milieu que Munch devait surtout fréquenter. Il semble d'ailleurs que la tâche essentielle de la plupart de ces écrivains ait été de faire découvrir l'art français et scandinave à une Allemagne qui après une longue période d'isolement culturel était avide d'idées neuves et stimulantes. Il y a tout lieu de penser que Munch souhaitait introduire le public allemand à des nouveautés en matière de création picturale.

167

167 NUIT D'ETOILES. 1893

99

168

169

170

171

168 — 175 ESQUISSES POUR
DIVERSES SERIES SUR
L'AMOUR NOTAMMENT
«UNE VIE HUMAINE».
1893

172

100

173

174

175

Berlin était également le centre de tout un réseau de marchands d'art qui possédaient des galeries dans les capitales des nombreux états allemands. Munch s'aperçut que s'il faisait circuler de l'une à l'autre sa fameuse exposition berlinoise, la recette des entrées suffirait à le faire vivre. Dans les années qui suivirent, il se servit même de tout ce réseau du marché d'art comme d'une sorte de tribune car contrairement aux expositions et aux Salons officiels il était ouvert à tout ce qui était nouveau et sensationnel; et ce fut, paradoxalement, par ces élégantes galeries que l'art «anarchiste» de Munch fut le mieux accueilli. Cependant le fait qu'il ait surtout présenté ses œuvres en dehors des circuits officiels dans le réseau des grands marchands d'art juifs explique en partie pourquoi, malgré le grand intérêt qu'elles suscitèrent, elles n'eurent pas plus d'influence sur la peinture allemande que sur la peinture scandinave pendant toute la première moitié des années 1890.

176 AUGUST
STRINDBERG. 1892

RENCONTRE AVEC AUGUST STRINDBERG

Dans la correspondance d'August Strindberg, le nom d'Edvard Munch apparaît d'abord à l'occasion de l'effervescence suscitée dans les milieux mondains par la fameuse exposition de l'Architekten-haus, puis souvent par la suite à propos de la vie des cercles littéraires berlinois dont le peintre norvégien devait devenir une figure importante. Munch y rencontra Ola Hansson, auteur de *Sensitiva Amorosa* (1887) ainsi que le jeune Richard Dehmel qui devait introduire l'expressionnisme dans la littérature allemande; il se lia beaucoup avec le romancier «sataniste» polonais Stanislaw Prsybyszewski, interprète passionné de Chopin et marié à une Norvégienne, Dagny Juel, que Munch avait sans doute lui-même introduite dans ce milieu. Faisaient également partie du groupe le poète danois Holger Drachmann, le dramaturge norvégien Gunnar Heiberg et l'historien de l'art Jens Thiis, norvégien lui aussi. Leur lieu de réunion favori était un café que Strindberg avait baptisé «Zum Schwarzen Ferkel» (Au petit cochon noir). C'était le rendez-vous des intellectuels de tous les horizons, en particulier des Scandinaves séjournant à Berlin pour plus ou moins longtemps. Dans ce cercle, comme dans celui de la bohème qui gravitait autour de Hans Jæger et Christian Krohg dans les années 1880 à Christiania, on pratiquait bien sûr l'amour libre.

Le premier tableau que peignit Munch à Berlin fut un portrait d'August Strindberg; il l'ajouta aux autres toiles de sa fameuse exposition quand en décembre 1892 il réinstalla celle-ci à ses propres frais dans les salles de l'Equitable Palast. Strindberg n'était pas content du portrait. Il aurait préféré une représentation plus stylisée plutôt que cette image impressionniste, semblable à un instantané, où l'écrivain et le spectateur se rencontrent pour ainsi dire sur un pied d'égalité. Quant à Munch, lorsque quarante ans plus tard il fera don du tableau au Musée National de Stockholm, il écrira ces lignes:

177

177 LE CAFE ZUM SCHWARZEN FERKEL. 1893

178

178 LA MERE MORTE. 1893
179 ESQUISSE POUR LA MORT A LA BARRE. 1891/92
180 LA MERE MORTE. 1893

179

180

«A dire vrai, il y a un vide dans mon salon là où depuis vingt ans était accroché le portrait de Strindberg — il est pour moi l'incarnation de ces deux étranges années à Berlin.»

On voit sur la toile les petits traits de pinceau obliquement parallèles qui sont caractéristiques de sa manière impressionniste. La tonalité grisâtre et chatoyante rappelle toutefois les toiles peintes par Strindberg luimême. L'amitié entre les deux hommes reposait en effet non seulement sur leur commun intérêt pour la littérature ou la psychologie, mais aussi pour la peinture. Il ne s'agissait pas pour Strindberg d'un simple passetemps. Ses marines, où l'on dénote l'influence de Courbet, étaient exécutées dans un style spontané et tachiste et, à l'exception des œuvres de Munch, étaient peut-être ce qu'il y avait de plus neuf alors à Berlin. Dans la peinture de Strindberg, le spiritisme semble avoir joué un certain rôle: pour lui l'artiste pouvait transmettre l'essence profonde de la nature à l'instar du médium, inconscient révélateur d'une réalité autre. Tout ce qui apparaissait fortuitement dans le processus créateur de l'œuvre d'art devait être préservé car pouvaient ainsi se faire jour des choses beaucoup plus importantes que ce qui résultait d'une recherche consciente. Strindberg devait développer ces idées — qu'il avait sans aucun doute fait partager à Munch lors de leurs conversations à Berlin —

181

dans un essai publié deux ans plus tard et intitulé «Le hasard dans la création artistique». Malgré certaines divergences dans leurs conceptions de la nature, Munch et lui se retrouvaient entièrement d'accord pour respecter l'expression spontanée ainsi que ces éléments fortuits jalonnant la création de l'œuvre d'art. Ainsi Munch fut-il le premier peintre à faire gicler les couleurs directement sur la toile, puis à les laisser couler pour obtenir certains effets tout à fait particuliers. Parallèlement dans la

181 LA MORT A LA BARRE. 1893

105

182

183

182 JEUNE HOMME ET
   PROSTITUEE. 1893
183 JEUNE HOMME ET
   PROSTITUEE. 1893

peinture de Strindberg apparurent, après sa rencontre avec Munch, certains thèmes caractéristiques de ce dernier comme la solitude et la jalousie. Après avoir abandonné l'Association des artistes à la suite de «l'affaire Munch», les peintres berlinois de la jeune garde avaient organisé en juin 1893 sous l'égide de Liebermann une Exposition libre (Freie Berliner Kunstausstellung) où figuraient principalement les toiles refusées à la grande exposition annuelle de l'Association. «Le Norvégien (sic) August Strindberg» et Edvard Munch y étaient représentés l'un et l'autre. Leurs tableaux furent qualifiés de «barbouillages» et on pensa que c'était par Munch que Strindberg avait appris à peindre.

A Berlin, Munch commence à préparer une nouvelle exposition pour laquelle il travaille également à Åsgårdstrand et à Christiania pendant l'été et l'automne 1893. L'inauguration eut lieu dans deux salles situées au premier étage du 19 Unter den Linden, le soir même de la première, au théâtre Lessing tout proche, de *Jouer avec le feu,* une pièce en un acte de Strindberg traitant d'une liaison à trois. Le billet d'entrée pour l'exposition coûtait un mark, un prix incroyablement élevé pour voir environ vingt-cinq peintures assez proches de l'esquisse, ainsi que quelques aquarelles et dessins. Parmi elles figuraient quelques toiles au coloris sombre qui comptent parmi les œuvres majeures de Munch, comme *La tempête, Nuit d'étoiles* et *Clair de lune,* ainsi que certains ta-

106

184

bleaux d'inspiration amère et dure comme *La mort à la barre, La mort de la mère,* aux contrastes stridents, et *Intérieur,* plus tard rebaptisé *Rose et Amélie,* qui montre deux prostituées faisant une réussite. Si on les compare à celles de Toulouse-Lautrec ou de Willumsen, ces filles sont hideuses, grasses et repoussantes, mais elles restent authentiques et par là-même humaines. L'atmosphère lugubre de la scène est renforcée par la présence de leur ombre commune qui se profile derrière elles, compacte et menaçante. On pourrait d'ailleurs retrouver dans d'autres tableaux exposés, comme *Le vampire (Liebe und Schmerz)* et *Lit de mort (Fieber),* la même utilisation à la fois expressive et symbolique de l'ombre.

184 ROSE ET AMELIE. 1893

107

185

186

185 ETUDE. 1893
186 LA MORT DANS LA CHAMBRE
     DE MALADE. 1893

Le premier tableau que voyaient les visiteurs en entrant et qui donnait ainsi le ton de l'exposition était *La mort dans la chambre de malade (Ein Tod)*. Munch et sa famille y sont représentés dans une chambre presque nue au moment de la mort de sa sœur Sophie. Celle-ci est assise dans un fauteuil au fond de la pièce, le dos tourné au spectateur, et l'attention se concentre sur les autres personnages. La mort est manifestée ici comme une absence, une privation pour les survivants. Son silence est suggéré au moyen de contrastes de couleurs simples et expressifs, les personnages ont l'air de porter des masques et l'action semble se jouer sur une scène dont la pente serait inclinée vers les spectateurs. Edvard et ses deux sœurs forment un groupe compact au premier plan. Lui regarde vers le fond de la pièce où le père et la tante se tiennent debout près du fauteuil d'osier qui nous cache Sophie. Son frère Andreas semble vouloir quitter la chambre au moment de la mort. De toute évidence il s'agit là de l'évocation d'une scène vécue, mais les acteurs y sont représentés à l'âge qu'ils avaient au moment où le tableau a été peint et non pas lorsque l'évènement s'est produit. A l'exposition il était accompagné d'une étude préparatoire, ce qui soulignait bien son importance.

Dans cette toile Munch manifeste de la manière la plus claire son

108

187

appartenance au synthétisme et au symbolisme. Pour le choix du sujet, il a pu être influencé par Sören Kierkegaard: celui-ci a précisément analysé dans *Le concept d'angoisse* cette dimension de la conscience où instant et éternité viennent se fondre. Plus tard d'ailleurs Munch intitulera cette toile: *L'instant de la mort.* Dans les années 1890, c'était toutefois le symboliste Maurice Maeterlinck qui passait pour en être l'inspirateur et après avoir exécuté les premières études pour le tableau, Munch se vit

187 LA MORT DANS LA CHAMBRE DE MALADE. 1893

188 COMME UNE MADONE. 1893/94

188

d'ailleurs proposer d'illustrer l'une des pièces de l'écrivain belge, *Pelléas et Mélisande.*

Le clou de l'exposition fut toutefois un groupe de six peintures présenté sous le titre collectif *Etude pour une série: «L'amour».* Il comprenait *La voix (Sommernachts-Traum), Le baiser, Le vampire (Liebe und Schmerz), Madone (Das Madonna-Gesicht), Jalousie* et *Le cri* (Verzweiflung). Comme pour les précédentes expositions de Munch, il est difficile d'identifier les versions présentées. C'était en tout cas la première fois qu'il exposait des toiles sous forme de série et c'est précisément cette série complétée et enrichie qui deviendra par la suite sa *Frise de la vie.* Le thème de la mort n'y sera introduit que beaucoup plus tard. Mais il est déjà très significatif que cette série *L'amour* commence par une tendre évocation du désir naissant et se termine par une image qui n'exprime rien d'autre que de la peur.

Le cri est considéré comme l'œuvre maîtresse de Munch et on y voit

189

190

191

189 MADONE. 1893/94

190 MADONE. 1895?
191 MADONE. 1895?

192

192 LE VAMPIRE. 1893

le symbole de l'angoissante condition de l'homme moderne. L'extraordinaire force expressive est due en partie à l'utilisation intensive du contraste entre les lignes droites et les ondulations rythmiques si caractéristiques de l'Art Nouveau. La diagonale ascendante de la route et de la barrière crée un dramatique effet de perspective tandis que les contours souples et arrondis du paysage donnent l'impression d'un gouffre sur la droite. L'espace pictural semble en même temps faire éclater ses limites et se projeter vers le spectateur. L'étrange figure au premier plan concrétise et personnifie l'expérience universelle de la peur.

La version du *Vampire* qui était exposée à Berlin est celle qui figure aujourd'hui au Musée des beaux-arts de Göteborg. C'est sans doute d'ailleurs la version la plus achevée de toutes celles qui existent. Dans ce tableau se manifeste avec une évidence particulière le talent de Munch à exprimer dans une même œuvre des sentiments antithétiques. Le titre initial *Liebe und Schmerz (Amour et douleur),* souligne cette dualité. Par la suite il fut généralement remplacé par *Le vampire,* sans doute à l'instigation de Stanislaw Przybyszewski, l'écrivain polonais ami de Munch. Dans ce tableau la femme domine entièrement l'homme. Elle presse ses lèvres contre son cou tandis que lui prostré, enchaîné à elle par sa chevelure rousse comme par les fils d'une méduse, attend passivement la

193 LE VAMPIRE. 1893/94

194

194 LE LENDEMAIN. 1894

195 L'ATELIER DE MUNCH A
BERLIN. 1894

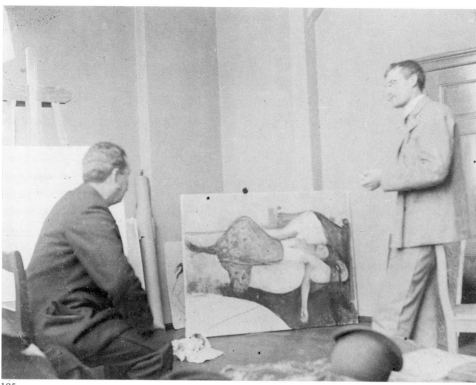

195

consolation. Derrière eux une ombre menaçante renvoie en les resserrant leurs formes confondues. La position axiale du couple dans le tableau et la monumentalité des formes donnent un caractère d'éternité à cette incarnation de l'amour et de la douleur. Dans la même exposition figurait aussi une autre série de trente numéros, probablement des dessins, que Munch avait intitulée *Une vie d'homme (Ein Menschenleben)*. Nous ignorons quels étaient ces dessins mais s'ils illustraient eux aussi les thèmes majeurs de l'exposition, à savoir l'amour, l'angoisse et la mort, on peut supposer, d'après ceux qui ont été conservés, qu'ils retraçaient toute l'existence de l'artiste depuis ses premiers souvenirs d'enfance jusqu'à ses années de bohème à Christiania, à Paris et à Berlin.

Pendant la période qui suivit, Munch peignit dans son atelier de Berlin plusieurs parties importantes de *La frise de la vie* et notamment la première version de *Séparation:* l'homme vêtu de noir se tient sous l'arbre, debout et légèrement courbé, et la femme vêtue de blanc regarde vers la mer tandis que ses cheveux flottent jusqu'à lui et viennent s'enrouler autour de ses épaules. Il s'agit selon toute vraisemblance de la version figurant aujourd'hui au musée Munch et qui reste très belle malgré son état de conservation déplorable. Une autre œuvre majeure de ce même hiver est *Le lendemain,* aujourd'hui à la Galerie Nationale d'Oslo (lors de sa mémorable exposition à Berlin en 1892, Munch en avait pré-

114

196

196 SEPARATION. 1894

197

197 ETUDE POUR MADONE. 1893

senté une version antérieure, plus impressionniste, aujourd'hui perdue). Les lignes souples et ondulantes des draps et du corps de la femme indiquent que l'artiste était alors inspiré par le tout récent «Jugendstil» ou Art Nouveau, comme on l'appelait en France. Une photo de l'époque montre Munch dans son atelier, devant cette toile; à l'arrière-plan on peut apercevoir un dessin, une variante de la *Madone,* entourée d'un très grand halo lumineux. Il a sans doute utilisé le même modèle pour les deux tableaux qui expriment deux aspects différents du concept de l'amour.

La critique a donné de cette représentation pseudo-sacrée de la *Madone* des interprétations très diverses. Certains y voient surtout la représentation d'une expérience sexuelle, d'autres une figuration du mystère de la naissance, d'autres encore de celui de la mort, en quoi ils rejoignent l'artiste lui-même qui nous a laissé ce texte:

«L'instant où l'univers a suspendu sa course — Ton visage renferme toute la beauté de la terre — Tes lèvres cramoisies, couleur du fruit mûr, s'écartent comme dans la douleur — Un sourire de cadavre — La vie tend la main à la mort — La chaîne est fermée, qui relie les milliers de générations mortes aux milliers de générations à venir».

A partir de ce qu'il avait pu voir à l'exposition d'Unter den Linden en décembre 1893 et dans l'atelier du peintre, Stanislaw Przybyszewski publia une étude sur Munch *Das Werk des Edvard Munch. Vier Beiträge (L'œuvre d'Edvard Munch, Quatre contributions),* la première qui lui fut consacrée. En collaboration avec trois autres écrivains, Franz Servaes, Willy Pastor et Julius Meier-Graefe, il s'y livrait à une analyse approfondie de l'œuvre: tous trois s'accordaient pour voir en Munch un psychologue subtil, original et grand connaisseur de l'âme humaine; pour ce qui était de savoir si sa peinture serait celle de l'avenir, les avis restaient toutefois partagés. Servaes était peut-être le plus inspiré quand il écrivit que Munch ne ferait pas immédiatement école, mais qu'il jouerait un rôle de ferment pour l'art futur.

Si la pièce de Strindberg, *Jouer avec le feu,* fut un véritable fiasco, l'exposition de Munch attira au contraire beaucoup de monde. Elle semble toutefois avoir été totalement ignorée par la presse sauf par le *Berliner Tageblatt* dont la critique, citée dans le quotidien norvégien *Morgenbladet,* juge dans l'ensemble les toiles de Munch incroyablement mauvaises, méritant à peine le nom de peinture, mais bien plutôt celui de «monstruosité contre nature». Munch se rendit lui-même à Francfort, Hambourg et Leipzig, pour mettre au point l'organisation de son exposition qui circula ensuite entre les différentes villes. A une certaine époque, deux expositions Munch étaient ainsi présentées simultanément en Allemagne.

198

198 ETUDE POUR MADONE. 1893

On a du mal à imaginer ce que fut chez Munch cette véritable explosion créatrice des années berlinoises. Dessins, pastels, aquarelles et peintures se succèdent à un rythme effréné et presque fiévreux. Il reprend et approfondit certains thèmes, il en laisse dormir d'autres, mais presque rien ne laisse indifférent. Dans ce foisonnement, certaines idées prennent leur forme définitive: celles qui se rattachent à des expériences vécues, à des émotions personnelles, souvent avec une touche de tristesse et de pessimisme, celles précisément que nous trouvons ébauchées

199

199 LES MAINS. Vers 1893

dans les notes littéraires écrites plusieurs années auparavant. Ce qui frappe toutefois dans ces différents éléments autobiographiques, c'est que l'artiste ne s'apitoie jamais sur son propre sort. Quelques années plus tard, il devait écrire ces lignes qui à la fois éclairent cet univers pictural né à Berlin et sont éclairées par lui:

«*Ma peinture est en réalité un examen de conscience et une tentative pour comprendre mes rapports avec l'existence. Elle est donc en fait une forme d'égoïsme, mais j'espère toujours que je pourrai grâce à elle aider les autres à y voir clair.*»

Par l'intermédiaire de son ami le docteur Helge Bäckström, marié à Ragnhild, la sœur de Dagny Juel, et installé à Stockholm, Munch fut invité par le marchand de tableaux Theodor Blanch à présenter une «exposition d'environ 70 toiles, de très haute qualité et vraiment représentative». Ce dernier loua les locaux de l'Association des artistes au Kungsträdgården de Stockholm et le vernissage eut lieu par une belle journée d'automne le Ier octobre 1894. Etait notamment exposée la série *L'amour*, déjà présentée à Unter den Linden l'année précédente, mais cette fois plus complète et comprenant d'après le catalogue les toiles suivantes: *Mystère d'une nuit d'été, Homme et femme, Dans la forêt*, deux versions du *Baiser*, deux versions de *Femme amoureuse (Madone), Le sphinx*, deux versions du *Vampire, Les mains, Jalousie, Impression au soleil couchant, Le cri* et *Vignette*.

Sous le titre *Le sphinx* figure *Les trois âges de la femme* qui est aujourd'hui dans la collection Rasmus Meyer à Bergen. C'est un tableau très dense et très construit dont les grandes dimensions indiquent que Munch envisageait déjà de transformer cette série en une frise monumentale. Quant aux *Mains* qui aborde un thème entièrement nouveau, celui du désir masculin, son style simplifié et proche de l'esquisse rappelle un peu Toulouse-Lautrec.

A l'exposition scandale de l'Architektenhaus en 1892, Munch avait déjà présenté deux versions d'un même sujet, *Jalousie (Mélancolie* ou *Le bateau jaune)*. A Stockholm, il exposa outre celles-ci deux versions de *La mort dans la chambre de malade* et de *La mort d'une mère* (respectivement intitulées *La mort et le printemps* et *La mort et la vie)*. En donnant ces différentes versions il montrait par là qu'il s'agissait d'études et non d'une formulation définitive; mais cela prouve aussi que pendant sa période la plus féconde, il veillait soigneusement à ne pas trop retravailler sa toile une fois capté l'essentiel. Plutôt que de risquer de la gâcher en continuant sur la même, il préférait en refaire une autre. Comme il le disait lui-même, il préférait risquer de «faire avorter ses toiles» plutôt que de «perdre ce quelque chose qui en est le noyau vital.» Cette posi-

118

200

201

201 LES MAINS. Vers 1893

200 LES MAINS. Vers 1893

tion explique l'existence, pour des tableaux particulièrement importants de *La frise de la vie,* de toute une série de versions très similaires qui ont chacune des qualités formelles et picturales différentes. Le catalogue de l'exposition de Stockholm contenait certains extraits de l'article de Przybyszewski publié dans le *Freie Bühne* du 1.2.1893 et repris la même année dans *Das Werk des Edvard Munch;* s'y trouvaient longuement analysés *La voix, Le baiser, Le vampire, Jalousie* et *Le cri.* A travers eux l'auteur retrace l'évolution de l'amour, depuis les hésitations de la puberté, en passant par l'épanouissement sensuel de la maturité jusqu'à la désinté-

202

203

202 LA VOIX. 1893/96
203 LA VOIX. 1893/96

204 LA VOIX. 1893

204

205

gration finale dans les affres de la jalousie. Il voit aussi dans *Le cri* l'image de l'instinct à l'état pur qui, déserté par l'amour, hurle à la recherche d'une nouvelle incarnation. Sans nul doute, cette exposition de Stockholm avait été organisée en grande partie pour démontrer, preuves visibles à l'appui, les interprétations de Przybyszewski dont le livre ne comportait pas de reproductions.

Si elle ne réussit qu'à susciter une hilarité accompagnée de commentaires presque unanimement défavorables, certains critiques toutefois surent percevoir la vraie nature des œuvres, comme Don Diego qui d'abord sceptique, écrivit dans le journal *Figaro* après une semaine de réflexion:

205 LA VOIX. Vers 1893

121

206

207

206 JEUNE FEMME EN PLEURS.
1894
207 CONSOLATION. 1894

«Dans un total mépris de la forme, de la clarté, de l'élégance, de la cohérence, du réalisme, il peint avec la puissance intuitive du talent les plus subtiles visions de l'âme. L'objet essentiel de cette peinture, c'est l'intensité de la vie intérieure, même si ce doit être l'intensité de la souffrance.»

Pour exprimer ces «visions les plus subtiles de l'âme», Munch établit un système de signes et de symboles qui lui permet de suggérer des sentiments violents, souvent complexes. Un des plus fascinants et des plus souvent repris est celui d'une lune posée sur une colonne; il y a là bien sûr une allusion érotique, mais teintée de passivité et de mélancolie. Cette colonne lumineuse, reflet de la lune sur la mer, est aussi réelle que l'astre lui-même. Elle marque distinctement la ligne de l'horizon et intègre la composition sur la surface en captant notre regard et l'empêchant de se perdre dans un espace pictural imprécis.

Un autre de ces signes essentiels est, on l'a vu plus haut, celui de l'ombre. Celle-ci, comme dans *Le lit de mort* ou *Le vampire,* peut être entièrement soudée à une figure ou à un groupe de figures avec lesquelles elle constitue une entité émotionnelle. Elle peut aussi être une forme indépendante, comme dans *Puberté.* Souvent elle confère au tableau quelque chose de paralysant, oppressant ou menaçant. Techniquement parlant, elle permet de rendre presque tangible l'angoisse qui règne dans une pièce.

Le graphisme ondoyant et stylisé de la plage d'Åsgårdstrand est un autre de ces symboles. Dans plusieurs des scènes qui traitent de l'amour dans *La frise de la vie,* on le retrouve à l'arrière-plan où il évoque la dou-

208 PUBERTE. 1893

209

209 SEPARATION/PARAPHRASE
DE SALOME. 1895/96

210

210 SEPARATION. Vers 1896

ceur, la féminité, mais aussi la musique. Il crée une impression d'espace
et forme une démarcation naturelle entre la terre et l'eau.

On voit également dans de nombreux tableaux une femme aux vêtements clairs, une sorte de statue lumineuse, dont la présence possède un
caractère purement symbolique. La femme brûlante, qui apparaît par
exemple dans *Cendres,* devient elle aussi un symbole, tout comme la
femme «noire» à la posture figée.

211

En posant comme des pions ces trois figures dans ses tableaux, Munch semble là aussi jouer de ces différents symboles comme d'un rappel musical indépendant de la partition. La couleur également a une valeur symbolique évidente mais elle n'est pas un simple code de décryptage; comme le motif de la plage d'Åsgårdstrand elle se nourrit de la réalité extérieure. Une robe rouge peut ainsi symboliser la sensualité féminine; un visage vert caractérisera la passivité, alors qu'un visage rouge

211 ROUGE ET BLANC. 1894

125

212

212 LA FEMME (PARAPHRASE DE
      SALOME). 1894

témoignera d'un tempérament actif ou colérique: dans *La chambre mortuaire,* Munch représente son père et sa sœur Laura avec des visages rouges tandis que les autres membres de la famille sont d'une pâleur tirant sur le vert. Les deux premiers étaient en effet très émotifs et impulsifs alors que les autres avaient une nature plutôt mélancolique. Dans les tableaux qui ont l'amour pour thème, la femme, pleine de vitalité a souvent le teint coloré, tandis que l'homme est généralement pâle et atone.

Il faut mentionner également certains procédés de composition qu'utilise volontiers Munch pour rendre les tensions émotionnelles qui peuvent règner aussi bien à l'intérieur d'un esprit qu'entre les êtres. L'analyse de *La mort dans la chambre de malade* en révèle quelques-uns: la figure de femme au premier plan est tournée vers nous, établissant ainsi un contact direct qui aide à créer, en deçà de l'espace pictural, un espace psychologique. D'une certaine manière, nous voyons ce qu'elle-même voit en pensée. Ainsi s'établit le contact entre ce qu'on pourrait appeler la scène et le public, impression qui est accentuée par la déclivité du plancher venant à notre rencontre comme celui d'une scène.

213

213 LA FEMME. 1893/94

214

214 LA FEMME. 1894

RUPTURE AVEC BERLIN EN 1895

Quand en 1894 August Strindberg quitta Berlin pour venir se fixer à Paris, le milieu littéraire qui gravitait autour de lui au «Zum Schwarzen Ferkel» se dispersa. Les éléments les plus radicaux se regroupèrent autour de Dagny et Stanislaw Przybyszewski et ce nouveau cercle, dit Ferkel, devait se distinguer par un usage excessif et quasi rituel de l'alcool. Les plus modérés se retirèrent, pour adopter un mode de vie plus conforme aux normes établies. Quant à Munch, il semble s'être situé dans une position intermédiaire: il fréquentait régulièrement le café Bauer où dans un splendide isolement il trônait devant son café et son cognac. De plus en plus il apparaissait comme l'artiste solitaire, parfaitement égocentrique, qui maintenait ses distances et observait ironiquement le monde alentour, même quand il rejoignait le groupe Ferkel et son culte démoniaque de l'ivresse et de l'érotisme. Contrairement aux autres membres du groupe, il semble être resté discret sur ses multiples et — si l'on en juge par certaines lettres — fougueuses aventures amoureuses.

Ses tableaux ne se vendaient toujours pratiquement pas et on cessa même à partir du printemps 1894 de lui proposer des expositions. Le milieu des riches marchands et amateurs d'art juifs ne voyant plus en lui matière à spéculation ne le sollicitait plus non plus et l'intérêt qu'il avait pu susciter en Allemagne semblait s'être complètement éteint. C'est pourquoi il saisit avidement l'occasion qui lui fut offerte de se faire connaître à Stockholm, mais là aussi le résultat fut assez décevant. Il vivait plus que chichement dans de petites chambres d'hôtel ou de modestes studios et passait maintenant beaucoup plus pour un bohème farfelu que pour le génie souverain que beaucoup avaient cru discerner en lui.

L'inconfort de sa position marginale apparaît dans ses relations avec Julius Meier-Graefe, le jeune et enthousiaste rédacteur de la revue *Pan.* Celle-ci avait été créée sur l'initiative du groupe Ferkel pour promouvoir

215

215 VERS LA FORET. Vers 1895

216 PUBERTE. 1894

ses intérêts artistiques et littéraires et c'était Dagny Juel Przybyszewska qui avait proposé de la dédier au dieu sylvestre et luxurieux de la sensualité. Julius Meier-Graefe, qui devait plus tard devenir un historien de l'art influent et réputé, en était le co-directeur, particulièrement chargé de la peinture. Son article pour *Das Werk des Edvard Munch* avait été sa première contribution à l'histoire de l'art. Sans négliger les qualités picturales, il s'y montrait toutefois davantage intéressé par l'aspect philosophique de l'œuvre, par ce qui s'adressait à l'esprit plus qu'au cœur. Quand au cours de l'été 1894 il commença à travailler sérieusement au financement de la revue, il écrivit à Munch pour lui suggérer de «peindre quelque chose de beau pour *Pan*». Il lui demandait également de terminer ce qu'il appelle «le tableau à la chevelure», qui très probablement est la première version de *Séparation*. D'après lui cette toile pouvait devenir le chef-d'œuvre qui balaierait définitivement tous les doutes sur son génie. *Pan* semblait donc pouvoir devenir une tribune pour Munch qui comptait apparemment beaucoup sur la revue pour faire connaître et diffuser ses œuvres. Celle-ci prévoyait également d'ailleurs d'organiser la vente d'œuvres modernes et expérimentales, soit par correspondance, soit dans le cadre d'expositions. C'est après avoir reçu la lettre de Meier-Graefe que Munch commença *Le sphinx (Les trois âges de la femme)*, tableau monumental qu'il devait présenter à Stockholm la même année et qui participe à beaucoup d'égards de ce symbolisme dans lequel communiaient alors, en art comme en littérature, tous les rédacteurs de la revue. Nous y voyons un Œdipe moderne debout dans la forêt et méditant sur la femme «qui est tout à la fois sainte — putain et victime». Les expériences que le psychiatre français Charcot avait pu mener sur un certain nombre de jeunes femmes avaient montré que dans une seule personnalité pouvaient coexister trois niveaux distincts susceptibles d'être révélés par l'hypnose. Quand le tableau fut pour la première fois exposé à Stockholm en 1894, il avait pour sous-titre: «Toutes les autres sont une — tu es mille.» Cette citation est tirée de la pièce de Gunnar Heiberg *Le balcon*, qui décrit précisément comment une femme change selon qu'elle est avec l'un ou l'autre de ses trois amants. Se trouvaient ainsi réunis dans *Le sphinx* des thèmes qui se rattachaient aussi bien à l'artiste lui-même qu'à la peinture et à la littérature symbolistes de l'époque ou même au débat psychologique et philosophique contemporain. Munch peignit encore à Berlin une nouvelle version de *Puberté,* dont Meier-Graefe avait analysé le sujet très en détail dans *Das Werk des Edvard Munch,* peu avant la date du lancement de la revue.

Cet hiver-là, c'est surtout à l'eau-forte que travaille Munch. A part quelques portraits qui devaient bientôt susciter une admiration unanime, il utilise essentiellement la plaque de cuivre pour «reproduire» des

130

sujets qu'il a déjà traités dans différents dessins ou peintures, inversant ainsi comme dans un miroir les principaux tableaux des dix années précédentes. Cet ensemble de gravures aurait parfaitement convenu pour illustrer l'article sur l'évolution de l'artiste, que projetait la revue *Pan;* celle-ci en effet attachait la plus grande importance à l'unité du décor graphique de chacun des articles publiés. Il est hors de doute que Munch envoya à la revue un certain nombre de ses gravures, puisqu'elles sont mentionnées dans le premier numéro avec les œuvres graphiques de plusieurs autres artistes, qui s'y trouvaient entreposées et qui pouvaient être adressées sur demande aux personnes intéressées. Mais son nom avait sans doute un trop lourd parfum de scandale pour que ses œuvres puissent être publiées dans une revue aussi distinguée. Meier-Graefe préféra faire éditer lui-même huit de ces gravures, précédées d'une introduction sur le rôle de l'artiste de génie dans la société:

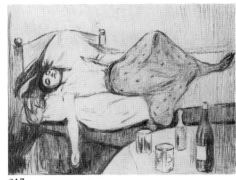

217

218

217 LE LENDEMAIN. 1895
218 LES ESSEULÉS. 1895

«Il n'existe aucun trait plus spécifiquement communiste que la fureur collective à l'égard du génie. C'est seulement par cette attitude négative, par des mesures défensives de cet ordre, qu'on fait aujourd'hui l'unanimité au sein de la masse. C'est la même impulsion instinctive qui a créé les lois d'exception contre les anarchistes et qui empêche de reconnaître le génie artistique.»

Les huit gravures publiées étaient, selon l'éditeur, des œuvres d'art susceptibles d'être évaluées «en toute sérénité», autrement dit des œuvres qui n'étaient pas caractéristiques de Munch. Le commentaire suivant montre à quel point Meier-Graefe jugeait les autres inacceptables par le public:

«Il souhaite graver sur cuivre et pierre sa série L'amour *qui est pratiquement terminée à l'huile. Il faut espérer qu'il sera nommé professeur avant, car il ne le sera sûrement jamais après.»*

Après avoir, d'avril à septembre 1895, mené à bien trois premières livraisons extrêmement fournies de *Pan,* Meier-Graefe et son co-rédacteur furent purement et simplement mis à la porte. Les éléments plus conservateurs qui en reprirent la direction donnèrent à la revue un profil plus spécifiquement allemand. La raison avancée pour ce changement était la présence dans le troisième cahier, encore à la brochure, d'une lithographie originale de Toulouse-Lautrec, un nu de femme qui avait été jugé choquant. Le cercle des abonnés et des bienfaiteurs comprenant le Kaiser et sa famille, des représentants de la noblesse et de la haute finance, ainsi que des directeurs de musée et des artistes célèbres, il s'avérait pratiquement impossible de publier Munch. Mais celui-ci n'était pas le seul absent de ces premiers cahiers; n'y figuraient pas non plus des artis-

131

219

219 STANISLAW PRZYBYSZEWSKI.
1895?

tes contestés comme August Strindberg, Stanislaw Przybyszewski, Holger Drachmann et Gunnar Heiberg. Même un article sur Gustav Vigeland fut refusé, la reproduction d'une de ses sculptures ayant été jugée impossible. Pendant ce printemps 1895, *Pan* s'était essentiellement fait le porte-parole du symbolisme international en peinture comme en littérature. En peinture, le ton avait été donné par la grande exposition symboliste qui, après avoir remporté un vif succès à Munich, avait été présentée à Berlin en janvier 1895. Dans cette prestigieuse manifestation d'art moderne, le public allemand pouvait enfin voir ses idoles, comme Böcklin, Thoma ou Stuck, tenir non seulement une place importante, mais faire même figure de précurseurs. Aussi longtemps qu'ils se maintenaient à l'intérieur d'un tel cadre, tous les artistes, même français, étaient donc les bienvenus à Berlin. Parmi les étrangers, avait particulièrement été remarqué le Finlandais Axel Gallén-Kallela dont les figures héroïques de la mythologie nordique ne pouvaient qu'enthousiasmer le public de la capitale. Il fut aussitôt invité à réaliser quelques illustrations pour *Pan* et dans le premier cahier nous en trouvons déjà deux, très caractéristiques, qui servent d'illustrations au poème de Paul Scheerbart *Das Königslied*. Gallén loua un vaste et somptueux atelier où il organisa de multiples réceptions, car il était bien résolu à réussir à Berlin sur le plan social comme sur le plan artistique. Quand il rencontra Munch, il fut étonné et déçu par ses obsessions maladives, son égocentrisme et son apparence plutôt misérable. Il décida toutefois d'exposer en commun avec lui, dans Unter den Linden, chez Ugo Baroccio dont l'élégante galerie accueillait habituellement une exposition permanente d'art italien. Parmi les huiles et aquarelles de Gallén, figuraient des œuvres intéressantes inspirées de la mythologie finlandaise: bien qu' exécutées dans un style germano-nordique très caractéristique de sa manière, elles portaient également la marque de ses solides études à Paris. Il eut toutefois le sentiment de rester dans l'ombre de Munch et d'être peu à peu contaminé par le parfum de scandale qui l'entourait. Il sentait que les visiteurs venaient surtout pour Munch, ses détracteurs comme ses partisans, et que ces derniers appréciaient fort peu l'idéalisme fougueux de ses propres toiles. Il regretta de s'être ainsi associé à Munch et voyant dans cette exposition commune la principale raison de son échec à Berlin, il quitta la capitale en vaincu. Quant à Munch, cela faisait un an qu'il n'avait pas exposé en Allemagne et plus de 18 mois qu'il n'avait rien montré à Berlin. Sa réapparition en compagnie d'un artiste nordique réputé explique sans doute pourquoi réticences et refus s'exprimèrent sur un ton beaucoup plus tolérant et beaucoup plus courtois qu'auparavant. Il avait exposé la série *L'amour* où figuraient notamment *Le baiser, Le vampire, Madone, Le sphinx, Jalousie* et *Le cri,* des scènes sur la mort, des tableaux de genre comme *Puberté* et *Le lendemain,* ainsi

132

que des portraits. Il est probable que la série *L'amour* comportait quelques nouvelles versions de ces différents sujets que la postérité devait considérer comme les œuvres magistrales de ce qu'il intitulerait plus tard *La frise de la vie.*

En mettant l'accent sur la qualité ainsi que sur la cohérence thématique, Munch semble avoir voulu se présenter sous son meilleur jour et l'on vit se renouveler la même situation qu'à Christiania en 1892 lorsque ses toiles furent comparées à celles de Willumsen. Gallén, qui dans son pays faisait figure de précurseur, apparut extrêmement traditionnel à côté du Norvégien.

Franz Servaes, l'un des co-auteurs de l'ouvrage sur Munch qu'avait publié Przybyszewski et qui jusqu'alors n'avait été que relativement bien disposé à son égard, le considérait maintenant comme un martyr de l'art moderne, la peinture selon lui se prêtant encore moins bien que la littérature à l'expression de la vie affective. Paul Scheerbart lui aussi affirmait que les toiles de Munch, conjugant réminiscences et imagination comme seuls jusqu'ici avaient su le faire les poètes, étaient totalement incompréhensibles pour le grand public.

Avant l'exposition chez Ugo Baroccio, Przybyszewski avait déjà quitté Berlin sans intention de retour; peu après, Meier-Graefe partit pour Paris où sa collaboration avec la Galerie Bing lui permit de cultiver tout à l'aise son intérêt pour l'art moderne français. Le milieu d'avant-garde qui avait rendu Berlin si attirant se dispersait. C'est dans cette atmosphère d'exode que Munch, presque inaperçu, abandonna Berlin pour rejoindre, après un bref intermède à Christiania, Strindberg et Meier-Graefe à Paris.

220

220 JULIUS MEIER-GRAEFE. Vers 1895

133

221

221 JALOUSIE. 1895

INTERMEDE A CHRISTIANIA

222

222 CENDRES. 1896

Munch emporta tous ses tableaux de Berlin à Christiania pour la grande exposition qui eut lieu en octobre 1890 à la Galerie Blomqvist dans l'avenue Karl Johan. L'été précédent, à Åsgårdstrand, il avait ajouté à sa série *L'amour* deux toiles importantes qui sont l'une et l'autre des paraphrases modernes de sujets de l'Ancien Testament: *Cendres,* d'abord intitulée *Adam et Eve après la chute,* et *Jalousie,* directement inspirée du thème précédent. L'homme au premier plan, qui a les traits de son ami l'écrivain Przybyszewski, semble se représenter avec le plus profond désespoir la scène qui se déroule derrière lui sous le pommier entre un Adam et une Eve modernes. Comme *Madone,* mais avec plus d'ironie encore, ces deux tableaux sont chargés de toute une signification pseudo-sacrée. On peut voir de plus en *Jalousie* le portrait symbolique de Stanislaw Przybyszewski qui, démoniaque et tourmenté tout à la fois, puisait dans sa propre jalousie la matière de ses romans.

A cette même exposition, Munch avait, à l'intérieur de sa série *L'amour,* isolé sous le titre de *Femme amoureuse* un certain nombre de ses toiles de Madone. Un seul portrait féminin était exposé, celui de Dagny Juel Przybysewska. Celle-ci était représentée, dans une harmonie de bleus, les mains derrière le dos, avec un sourire étrange qui lui donnait un air presque provocant. Bien qu'il ne fût absolument pas certain que Dagny Juel ait servi de modèle pour *Madone,* certains traits de ressemblance poussèrent cependant son père, le docteur Juel, à exiger de Munch que le portrait soit retiré de l'exposition en raison du rapprochement qui pouvait être fait avec la série *Femme amoureuse.*

Jamais encore Munch n'avait obtenu un tel succès de scandale à Christiania. Les quelques voix qui s'élevèrent pour sa défense furent aussitôt couvertes. Les journaux satiriques doublèrent leur tirage et leurs caricatures nous sont aujourd' hui très précieuses pour identifier les tableaux exposés. Il y avait trois ans que Munch n'avait rien exposé à Chri-

135

223

223 IMAGES DE L'AMOUR. 1895/96

stiania et la manière dont il avait évolué déchaînait une fois de plus les passions. Il comptait évidemment quelques admirateurs, surtout parmi les artistes d'avant-garde et les étudiants. Mais ce que le grand public ne supportait pas dans sa peinture c'étaient ces formes abstraites dont il se servait pour véhiculer toutes ses visions intérieures, ses fantasmes etc. On peut lire dans le journal *Aftenposten:*

«C'est soit un artiste halluciné, soit un mauvais plaisant qui se moque du public et se joue de la peinture comme de la vie humaine. Si seulement ses caricatures étaient drôles... Malheureusement toutes ces plaisanteries sont lamentables et de fort mauvais goût, elles sont écœurantes et donnent envie d'appeler la police.»

Quant au très influent *Morgenposten,* il encouragea ouvertement à boycotter l'exposition.

Toute cette agitation déboucha sur un débat au Studentersamfundet (Association des étudiants) au cours duquel Johan Scharffenberg, qui devait plus tard devenir un psychiatre réputé, fut vivement applaudi lorsqu'il s'interrogea sur l'état mental de Munch et qualifia sa peinture d'anormale.

Le jeune poète Sigbjörn Obstfelder fut le plus ardent défenseur de Munch; il se plaçait, il est vrai, de son propre point de vue: quelques années plus tôt, il avait été hospitalisé pour maladie mentale et les expériences psychiques vécues lors de ses crises lui avaient fourni ample ma-

136

tière pour ses poèmes. Pour les milieux littéraires que fréquentait Munch dans les années 1890, la folie était généralement considérée comme un élément positif qui s'accordait très bien avec l'art d'avant-garde.

Dès le début des années 1880, la critique avait dénoncé comme un trait maladif chez Munch son apparente incapacité à mener jusqu'à leur terme ses talentueuses tentatives. Les toiles impressionnistes d'inspiration française qu'il présenta au Salon d'Automne 1890 devaient définitivement le classer parmi les artistes ayant franchement dépassé les limites du délire. Son art, d'une hypersensibilité maladive, était qualifié de neurasthénique.

On ne peut nier que Munch lui-même n'ait craint par moments de devenir fou; il estimait en effet avoir une hérédité chargée de ce point de vue. Les tourments religieux et le puritanisme fanatique de son père lui apparaissaient comme des signes confinant à la démence. Il avait également dû être très impressionné quand sa jeune sœur Laura fut à plusieurs reprises hospitalisée pour troubles mentaux:

«J'ai reçu en héritage», écrit-il, «deux des plus terribles ennemis de l'humanité — la tuberculose et la maladie mentale — la maladie, la folie et la mort étaient les anges noirs qui se sont penchés sur mon berceau.»

224

224 SCULPTURE POUR UN JARDIN. 1896

Mais entre énoncer un pareil jugement sur soi-même et aller jusqu'à affronter un public prêt à s'acharner sur vous et à réclamer votre crucifixion, la distance était grande. Munch ne devait jamais pardonner à Johan Scharffenberg et bien des années plus tard il écrira:

«Je ne pense pas que ma peinture soit morbide comme le croient Scharffenberg et tant d'autres. Il y a des gens qui ne comprennent pas l'essence de l'art, pas plus qu'ils ne connaissent son histoire.»

Cependant, même si la Galerie Nationale eut le courage et l'intuition d'acquérir l'*Autoportrait à la cigarette*, la toile que précisément Scharffenberg avait qualifiée d'anormale, il n'y avait alors de toute évidence pas de place pour Munch et sa peinture en Norvège. Très vite d'ailleurs il devait une fois de plus s'éloigner de son pays natal.

Sa rencontre avec Henrik Ibsen et l'intérêt que le dramaturge manifesta pour son exposition apportèrent toutefois quelques encouragements à Munch qui écrit:

«Un jour j'ai rencontré Ibsen à l'exposition — nous avons regardé les toiles ensemble — il les a examinées l'une après l'autre avec attention — les trois femmes particulièrement l'intéressaient — Je lui ai dit — la femme sombre

137

qui est debout entre les troncs d'arbre près de celle qui est nue — c'est en quelque sorte la nonne — l'ombre de la femme — le chagrin et la mort — la femme nue représente, elle, la joie de vivre — A côté d'elles deux — de nouveau la femme claire qui marche vers la mer — vers l'infini — elle symbolise l'attente — Entre les arbres, tout à droite — se tient l'homme — qui souffre et qui ne comprend pas — Il s'est aussi intéressé à l'homme assis près de la mer, penché et prostré.»

Munch pensait qu'Ibsen avait été inspiré par ce tableau, intitulé *Le sphinx (Les trois âges de la femme),* dans sa description des trois personnages féminins de *Quand nous nous réveillerons d'entre les morts.* Celui-ci l'avait également réconforté par ces mots: «Il en sera pour vous comme pour moi, plus vous vous ferez d'ennemis, plus vous vous ferez d'amis.» Avant de quitter la Norvège, Munch profita cependant des remous causés par son exposition pour envoyer celle-ci à Bergen où le public, comme à son habitude, se précipita en foule pour donner libre cours à son hostilité et à son indignation.

225 AUTOPORTRAIT A LA CIGARETTE. 1895

225

226

ANNEES A PARIS (1896 – 1898)

A l'instar de Strindberg et de Julius Meier-Graefe, Munch vint donc s'installer à Paris au début de 1896. Pendant deux ans il devait s'y consacrer essentiellement à la gravure et c'est d'abord dans son œuvre gravé que se reflète la multitude des impressions recueillies dans la capitale pour ne transparaître dans ses toiles que plus tard à la fin du siècle.

Dès l'époque berlinoise il avait été impressionné par les bois gravés de Vallotton et leurs violents contrastes de noir et de blanc. Cette influence est très visible dans l'*Autoportrait au bras de squelette,* une lithographie en forme d'épitaphe où le fond est exécuté à l'encre noire et les détails du visage au crayon. Les surfaces les plus noires ont été ensuite animées par des griffures à l'échoppe. La technique lithographique, à la fois simple et sophistiquée, se prêtait d'ailleurs particulièrement bien à la traduction des thèmes de *La frise de la vie* en lignes ondulantes inspirées de l'Art Nouveau. A Paris, Munch travaille également à des bois gravés ainsi qu'à des gravures en couleurs sur bois et cuivre où se conjuguent de façon particulièrement heureuse vigueur et élégance. En collaboration avec le graveur Clot, il réalise de véritables chefs-d'œuvre lithographiques en couleurs et notamment les nombreuses variantes de *L'enfant malade* qui furent bientôt très appréciées. Pour les bois gravés, il utilisait au maximum la structure naturelle du bois de fil et mit au point une technique qui permettait des effets tout à fait réussis et originaux: comme dans un véritable puzzle, chaque petit morceau était découpé dans la planche puis coloré séparément.

Cet œuvre gravé, tel qu'il jaillit dans toute sa force pendant les années 1896 – 1898, apparaît comme une sorte de cristallisation des «réminiscences» majeures de la vie de l'artiste. Les différentes techniques graphiques, chacune avec leurs exigences strictes et bien distinctes, contribuèrent peut-être à le libérer progressivement de cet univers théma-

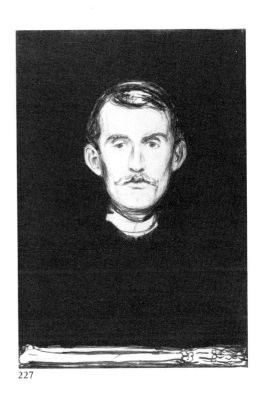

227

227 AUTOPORTRAIT AU BRAS DE SQUELETTE. 1895

226 PARAPHRASE DE SALOME. 1894/98

141

228

228 NU DE DOS. 1896

229

229 MODELE ASSIS. 1896

230 MODELE ASSIS. Vers 1897

230

231

231 AUTOPORTRAIT A LA LYRE.
1896/97

tique et il cessa dès lors de puiser dans ses souvenirs la matière de son œuvre.

Pendant cette période Munch peignit assez peu, mais chaque fois qu'il reprit ses pinceaux ce fut une réussite, comme par exemple pour ces quelques nus de femme au coloris chaud et vibrant que l'on retrouve aussi dans certaines aquarelles. Il semble, d'après son style, qu'il faille également dater de cette période une toile étrange, *Boulevard parisien;* l'influence de Gauguin vient y combattre d'autres traits plus caractéristiques de l'Art Nouveau et l'expression de la femme sur la droite du tableau se retrouve dans des gravures de la même époque. Quant au boulevard lui-même, il est peint dans une manière qui rappelle les premières œuvres de Gauguin mais où l'on peut également voir une influence de Cézanne, auquel plusieurs des amis de Munch vouaient la plus grande admiration. La démarcation entre le boulevard à gauche et la femme à droite indique que le peintre a voulu représenter deux mondes différents dont les rapports semblent mystérieux.

L'une des premières toiles que peignit Munch à Paris fut une réplique de *L'enfant malade* de 1886; c'était une commande d'un industriel norvégien, Olaf Schou. Dans cette nouvelle version, qui figure aujourd' hui au Musée des beaux-arts de Göteborg, l'apport parisien se traduit par un grand raffinement de couleurs et cet enrichissement rendit la toile plus accessible sans rien supprimer pour autant de sa gravité fondamentale.

Jusqu'ici le public français amateur d'art n'avait entendu parler de Munch qu'occasionnellement dans les pages du *Mercure de France* qui en 1892 avait rendu compte du scandale à l'exposition de Berlin et en 1894, donné quelques extraits de l'article de Stanislaw Przybyszewski et commenté *Das werk des Edvard Munch* en présentant l'artiste comme «l'impressionniste norvégien». Thadée Natanson, le directeur de *La Revue Blanche,* vit l'exposition Munch à Christiania en 1895 et publia un long article sur les thèmes de l'amour et de la mort, dans lequel il écrit: «Il n'est certainement pas possible d'exprimer des sentiments avec plus de force, ni de donner à des peintures plus d'expressivité.»

La réplique de *L'enfant malade* figurait parmi les dix peintures que Munch présenta au Salon des Indépendants du printemps 1896, manifestation qui le mit pour la première fois en contact avec le public français. Outre quelques portraits et une scène de café impossibles à identifier, étaient exposées: *Rose et Amélie, Femme amoureuse, Les mains, La femme et la Mort («La Mort qui aime»* [1]*), Le cri* et *Le vampire.* Il s'agissait probablement de versions peintes à Berlin, mais on ne peut exclure que certaines aient été des variantes récentes exécutées à Paris. La nouvelle

[1] En français dans le texte.

144

232

232 BOULEVARD PARISIEN. 1896/97

233

234

235

233 ETUDE POUR LE BOIS GRAVE
LE BAISER. Vers 1897
234 ETUDE POUR LE BAISER. Vers
235 LE BAISER. 1892

236 LE BAISER. 1897

revue *L'Aube* consacra une page entière à une reproduction de *Madone* et présenta Munch comme «l'un des plus étonnants tempéraments de l'école norvégienne». Celui-ci, avant même la clôture du Salon et sur l'initiative de son ami Julius Meier-Graefe, présenta une nouvelle exposition de peintures, gravures et dessins au Salon de l'Art Nouveau de Bing. Dans *La Revue Blanche,* Strindberg en fit une critique des plus subjectives sous forme de poèmes symboliques en prose, comme celui-ci, consacré au *Baiser:*

«Le baiser. La fusion de deux êtres,
dont le plus petit, en forme de carpe,
semble prêt à dévorer le plus grand
comme le font les microbes, la vermine, les vampires
et les femmes.
Ou bien: l'homme qui donne crée l'illusion
que la femme donne en retour.
L'homme, qui réclame la grâce
de donner son âme, son sang, sa liberté,
son bonheur.
En échange de quoi?
En échange de la joie de donner son âme
son sang, sa liberté, sa paix,
son bonheur.

236

237

237 LE BAISER. 1893/97

Il y eut de nombreux autres comptes rendus dans les journaux. Le *Mercure de France* jugea irritant le texte de Strindberg et les œuvres de Munch choquantes par ce qu'il appelait leur maladresse et leur débraillé. Mais il convient de préciser que l'auteur de l'article, Camille Mauclair, était un ennemi juré du symbolisme sous toutes ses formes. Le symboliste suédois Ivan Aguëli se montra très élogieux dans l'*Encyclopédie Contemporaine* où il analysait surtout la nouvelle version de *L'enfant malade*. Certains soulignèrent les affinités entre Munch et des écrivains comme Edgar Poe et Maeterlinck, tandis que d'autres mettaient en avant ses grandes qualités de coloriste.

148

238 LA JEUNE FILLE
ET LA MORT.
Vers 1893

238

239

239 LA SIRENE. 1896
240 HALL DE LA VILLA D'AXEL
      HEIBERG.

240

A Paris, Munch s'était vu confier par un éditeur l'illustration des *Fleurs du Mal,* mais le projet fut abandonné en raison de la mort subite de ce dernier. Les études qu'il avait eu cependant le temps de réaliser expriment une philosophie organique de l'existence, où l'amour et la mort apparaissent comme les éléments d'une éternelle métamorphose; c'est une philosophie assez semblable à celle que Strindberg formulait à la même époque, notamment dans son roman *Au cimetière.* Munch fit

150

241

plusieurs dessins sur ce thème qui trouvera son expression définitive
dans *Métabolisme.*

Au cours d'un bref séjour à Christiania ce même automne, il exécute
sa première commande décorative, un panneau mural destiné à la villa
du collectionneur Axel Heiberg à Sandvika, aux environs de Christiania.
La sirène qui, avec un brin de coquetterie, nous regarde du plafond de
l'escalier, révèle un côté souriant et légèrement ironique très inhabituel
chez l'artiste.

Bien que Munch à Paris se soit surtout consacré à la gravure, il envoya de nouveau l'année suivante dix toiles au Salon des Indépendants
de 1897: *Angoisse, Le baiser, Les trois âges de la femme, Jalousie, La mort
dans la chambre de malade, Lit de mort, Nuit d'étoiles, Soir sur l'Avenue
Karl Johan,* le double portrait de Paul Hermann et Paul Contard et *L'été*
(qu'il n'a toutefois pas été possible d'identifier). Certaines d'entre elles
étaient peut-être de nouvelles versions d'œuvres exposées l'année précédente chez Bing. Si la plupart des critiques les jugèrent violentes et bru-
tales, l'artiste fut en tout cas pris au sérieux comme jamais il ne l'avait
été à Berlin. On entendit même certains éloges. *La Plume* reproduisit
La mort dans la chambre de malade et mentionna Munch comme le
plus intéressant des peintres exposés. Le critique français Edouard Gé-

151

242

243

244

242 — 244
PROJETS D'ILLUSTRATIONS POUR
«LES FLEURS DU MAL» DE
BAUDELAIRE. 1896

rard écrivit un long article élogieux que Munch fera d'ailleurs figurer d'abord dans le catalogue d'une exposition à Christiania l'année suivante et plus tard dans son petit ouvrage *La frise de la vie* en 1918. Le correspondant de la revue *Pan* à Paris fit également un long compte rendu de l'exposition dans lequel il comparait Munch à Odilon Redon et à Gauguin. Des deux côtés du Rhin, le Norvégien se voyait désormais reconnu.

Que Munch ait ainsi deux années de suite été remarqué au Salon des Indépendants fit évoluer l'opinion du public norvégien à son égard et le rendit moins assuré dans sa condamnation. Les activités du peintre à Paris étaient attentivement suivies par la presse de Christiania et les lecteurs durent en conclure qu'il avait trouvé là-bas une tribune pour s'exprimer. En 1897, une de ses gravures fut même présentée dans la section française de l'exposition internationale en noir et blanc organisée chez Blomqvist dans la capitale norvégienne. Les oeuvres de Vallotton exposées à la même occasion mirent en évidence les attaches de Munch avec l'art graphique français contemporain alors généralement admis. Par l'intermédiaire de Julius Meier-Graefe, Munch exposa également sept gravures à La Libre Esthétique à Bruxelles. A Paris, il dessina les affiches des pièces d'Ibsen *Peer Gynt* et *John Gabriel Borkman* qu'on jouait au Théâtre de l'Œuvre. Mais à part cela il ne vendit pratiquement rien dans la capitale française bien que Julius Meier-Graefe, à l'époque où il était chez Bing, eût toujours en réserve quelques œuvres de lui, essentiellement des gravures, pour d'éventuels acheteurs.

Munch semble toutefois ne pas avoir connu à l'époque de gros pro-

152

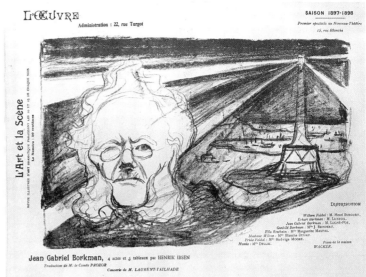

245

246

blèmes d'argent, puisqu'au cours de l'été 1897 il acheta une petite maison dans son cher village d'Åsgårdstrand. En septembre, il organisa une importante exposition de ses œuvres dans les salles Diorama, au no 41 de l'avenue Karl Johan. D'après le catalogue elle comportait 85 peintures, 30 lithographies, 9 bois gravés, 25 eaux-fortes et 5 zincographies, ainsi que 30 études ou esquisses, au total 180 numéros. Le contraste est frappant entre l'accueil serein et généralement favorable qui leur fut réservé et le véritable tollé qu'avait suscité l'exposition chez Blomqvist quelques années plus tôt. Le public s'était entre temps familiarisé avec les grands courants artistiques modernes. Munch était en train de devenir célèbre sur le continent et la préface d'Edouard Gérard dans le catalogue contribuait à le situer dans ce contexte reconnu. Il y apparaissait comme le prototype de l'homme contemporain, si sensible qu'il enregistre, tel un sismographe, les manifestations de l'angoisse universelle, et son œuvre était comparé aux drames sombres et inquiétants de Maeterlinck. Dans le *Dagbladet* le journaliste Rosenkrantz Johnsen traduisait bien la nouvelle attitude du public à l'égard d'Edvard Munch quand il écrivait:

«Un grand nombre de ces tableaux ont déjà été exposés et je trouve qu'ils gagnent à être revus; on s'est peu à peu accoutumé à ce qui paraissait tellement impossible. L'art de Munch a ceci de particulier: il nous fait reculer au premier abord car il n'entre pas dans le cadre de nos concepts habituels, mais il sait peu à peu y trouver sa place.»

247

247 FECONDITE. 1898

CONSOLIDATION ARTISTIQUE – SOUFFRANCES HUMAINES, 1897 – 1902

Avec la grande exposition de l'automne 1897 dans les salles Diorama s'ouvrit pour Munch une nouvelle période norvégienne. Il devait dorénavant passer la plupart des hivers à Christiania et les lumineux mois d'été à Åsgårdstrand, à moins qu'il ne descendît alors vers le Sud pour un voyage en Europe. A Christiania, il loua au no 22 d'Universitetsgate un atelier sous les combles qu'il partagea avec un autre peintre, Alfred Hauge, très bon ami de Hans Jæger et grand admirateur de Cézanne. A côté de l'atelier proprement dit, ils disposaient chacun d'une chambre spartiatement meublée où ils pouvaient se reposer de leurs travaux ou de leurs festivités. S'il y faisait trop froid ou trop triste en hiver, Munch louait, quand il en avait les moyens, une chambre au Grand Hôtel. Il ne logeait jamais chez sa tante et sa sœur qui vivaient très pauvrement à Nordstrand dans un faubourg de la ville et arrivaient tout juste à joindre les deux bouts grâce à de modestes legs. De plus, la charge que représentait leur jeune sœur débile Laura qui avait été hospitalisée de 1894 à 1896 était lourde pour la famille.

Dans les œuvres de Munch apparaissent en cette fin de siècle une recherche décorative nouvelle dans l'agencement des couleurs, des lignes et des surfaces sur la toile, une sorte de lyrisme sous-jacent ainsi qu'une tendance à la monumentalité. Il abandonne les thèmes individuels pour se tourner vers les grandes forces universelles. Caractéristique à cet égard est *Fécondité* (dont le premier titre était *L'automne)* où l'homme et la femme se tiennent de profil de part et d'autre d'un arbre luxuriant placé dans une position strictement axiale. Le ton n'est pas sans rappeler celui de Jean-François Millet dans ses représentations «héroïques» de paysans en communion avec la nature. Mais si Munch s'engage dans la même direction, il le fait avec le langage Art Nouveau de son époque. (Le tableau avait également été intitulé *La bénédiction de la terre).* C'est une interprétation plus philosophique et mythologique du

248

248 METABOLISME. Vers 1899

249

249 MUNCH ET TULLA LARSEN.
1899

mystère de la vie que nous présente *Métabolisme,* une toile dont Munch devait dire plus tard qu'elle était aussi nécessaire à *La frise de la vie* que «la boucle à la ceinture». Une femme et un homme nus se tiennent debout de part et d'autre d'un arbre médian dont le tronc s'ouvre pour laisser paraître, sous l'écorce, une figure d'enfant; cette version moderne de la naissance d'Adonis, le dieu de la fécondité, fut retouchée par la suite mais dans son premier état les racines de l'arbre débordaient jusque sur le cadre pour se nourrir des matières putréfiées, la vie et la mort formant ainsi la chaîne indivisible du métabolisme. Du bras l'homme se couvre la poitrine en une attitude de rejet, tandis que la femme au contraire avance la main vers l'enfant. Dans cette toile comme dans la précédente apparaissent très nettement les nouvelles préoccupations monumentales et décoratives de Munch à cette époque.

A Christiania, Edvard fit la connaissance de Tulla Larsen, la fille du plus gros négociant en vin de la capitale. C'était une femme attirante, belle et «libérée», alors âgée d'une trentaine d'années. Les nombreuses aventures que Munch avait pu avoir jusque là n'avaient été que des passades et n'impliquaient aucun engagement. Or voilà qu'à 34 ans, il affichait une liaison avec une femme très belle, susceptible de se marier et solidement établie dans un milieu bourgeois très fortuné. Tulla Larsen était une nature généreuse et avait acquis une large expérience de la vie; elle et Munch avaient en commun de nombreux amis dans les milieux artistiques et littéraires de la Norvège et même de toute la Scandinavie. Fière et équilibrée, elle semblait être tout à fait le type de femme dont Munch avait besoin.

Au cours de l'été 1899, ils partirent tous les deux pour l'Italie du Nord et Rome où Munch étudia notamment l'art monumental de la Renaissance. A Paris, sur le chemin du retour, il annonça plein d'enthousiasme à Julius Meier-Graefe qu'inspiré par les travaux de Raphaël, il rentrait dans son pays afin de s'y consacrer à de grands panneaux décoratifs. Ainsi virent le jour de très nombreux chefs-d'œuvre de format monumental. Certains ont été considérés comme la «conclusion» de *La frise de la vie: Vigne vierge rouge, Mélancolie (Laura), Golgotha* et *La danse de la vie.*

Mais c'est peut-être dans les nombreux paysages d'hiver datant de ces mêmes années que se manifestent de la manière la plus évidente ses préoccupations décoratives. Dans les surfaces, les couleurs et le jeu des lignes, apparaissent un sens du rythme et un lyrisme d'où a pratiquement disparu toute trace des recherches fébriles et angoissées d'autrefois. A travers le style Art Nouveau synthétisant de l'époque transparaît une observation très fine de la nature, rendue de manière classique et dépouillée. Les différents plans se répondent entre eux comme les phrases mélodiques et rythmiques d'un poème symphonique. D'ailleurs

250 METABOLISME. 1899

251

253

252

251 NUIT D'ETOILES. 1901.
252 NUIT BLANCHE. 1901
253 NUIT D'HIVER. 1900/1901

quand il abordait les problèmes esthétiques, Munch le faisait volontiers en termes de musique. Et si des dissonnances étaient perceptibles dans les premières toiles violemment contrastées de *La frise de la vie,* ces paysages décoratifs atteignent à un registre purement élégiaque et lyrique.

Dans un tableau comme *Jeunes filles sur le pont* (exposé d'abord sous le titre de *Nuit d'été),* les intentions décoratives du peintre se manifestent clairement aussi. Comme dans *Puberté,* il cherche à traduire cette expérience universellement partagée qu'est l'éveil de la sexualité en l'intégrant à toute la plénitude de la nature. Les dernières toiles de *La frise de la vie* montrent elles aussi comment Munch s'éloigne de son expérience personnelle à la recherche de l'universel, du point où l'individuel et le collectif se fondent en une nouvelle forme d'unité.

Cette évolution de l'art de Munch, à l'extrême fin du siècle, vers des valeurs objectives et universelles comporte également un aspect politique. Dans la jeune gauche d'opposition on comptait beaucoup de fervents admirateurs du peintre, bien que celui-ci ne témoignât par son art d'aucune option politique définie; il était généralement considéré comme anarchiste, ce qui à cette époque en Norvège relevait plus de l'idéologie littéraire que de la politique. Le mépris du capitalisme, ainsi que la foi dans la bonté foncière de l'homme, les valeurs de liberté et le renou-

158

254

254 LA FUMEE DU TRAIN. 1900

vellement des structures sociales, étaient autant de convictions qu'ils partageaient avec Björnson, Tolstoï ou Krapotkin. Sur l'initiative de Hans Jæger qui travaillait alors à son ouvrage *La Bible de l'anarchie,* Munch réalisa, en collaboration avec son «élève» Thorolf Holmboe, une vignette pour le *Social-Demokraten,* le journal du Parti travailliste norvégien. Dans celle-ci le «maître» avait repris le visage livide et désespéré du *Cri* pour symboliser l'appel à un nouvel ordre socialiste international. Holmboe y avait adjoint un poing rude et noueux brandissant une torche, signe que le travailleur «entend et voit cet appel qui est comme issu

255

de sa propre poitrine». Cette vignette était censée devenir l'emblème du journal, mais elle dut en disparaître rapidement à la suite des protestations des lecteurs: elle montre cependant de façon exemplaire quel rôle pratique la peinture de Munch aurait pu jouer dans la vie sociale du temps, ce dont ses amis et lui se préoccupaient sans cesse. La solution semblait toutefois impossible à trouver, comme il ressort notamment de ce qu'écrit Julius Meier-Graefe sur Munch dans sa remarquable étude *Beitrag zu einer modernen Ästhetik* publiée dans *Die Insel* en 1900:

«On ne saurait se le dissimuler: jamais il ne sera possible ni même souhaitable qu'il existe un milieu dans lequel les peintures caractéristiques de Munch puissent s'insérer naturellement et d'emblée cet état de fait réduit son rôle à la plus extrême abstraction.»

160

256 VIGNE VIERGE ROUGE. 1898/1900

257

257 LA MÈRE MORTE ET l'ENFANT.
    1899/1900

258

258 LA MÈRE MORTE ET L'ENFANT.
    1896/99

259

Au moment où paraissaient ces réflexions de Meier-Graefe, Munch continuait à travailler à sa *Frise de la vie,* ce cycle de l'amour et de la mort qu'il espérait toujours pouvoir déployer sur les murs d'un bâtiment officiel. Abandonnant la méditation subjective et égocentrique sur ses propres souvenirs, il étudie maintenant les expériences et les sentiments des autres tandis que s'éveille son intérêt pour le monde extérieur. Caractéristique à cet égard est la version définitive de *La mère morte et l'enfant* où seuls restent en scène l'enfant et sa mère morte. Les autres membres de la famille qui se tenaient à l'arrière-plan dans la première version ont disparu. Dans la toile ne s'exprime plus maintenant le souvenir d'une expérience fortement marquée par l'angoisse de sa jeune sœur, mais uniquement l'angoisse plus générale de la mort, ressentie comme une incompréhensible absence. Dans *Vigne vierge rouge,* la grande maison aux fenêtres brillamment éclairées et couverte de vigne vierge d'un rouge flamboyant semble aussi cacher quelque secret mais rien ne nous

163

260

261

262

260 MELANCOLIE (LAURA). 1895
261 MELANCOLIE (LAURA). 1895
262 TABLEAU DE FAMILLE.
    1898/1900

aide, comme dans *Jalousie* par exemple, à imaginer ce qui hante l'esprit du personnage debout au premier plan; désespoir et angoisse s'expriment ici à l'état pur et prennent de ce fait un caractère universel. Munch écrivit de longs commentaires sur un certain nombre de ces derniers tableaux de *La frise de la vie*. A la différence de ceux des années 1880, ils ont été rédigés après que les tableaux ont été peints mais ils n'en constituent pas moins un éclairage très précieux sur les motivations de l'artiste. Il parle notamment de *Mélancolie (Laura)* dans un long récit intitulé *La maison jaune*. Il y raconte un séjour dans un petit hôtel à Ljan près d'Oslo, où étant lui-même très déprimé, il perçoit les autres pensionnaires comme des malades mentaux:

«J'ai fait asseoir celle qui est atteinte de mélancolie devant la table rouge, avec la fenêtre derrière — Il fallait la peindre grande, et puissante, et même monumentale dans son chagrin éternel, sombre et muet — C'est ainsi qu'était assise la femme mélancolique que j'avais vue dans un asile d'aliénés — elle ne reconnaissait pas sa sœur qui lui disait des paroles douces — elle ne comprenait rien — ses grands yeux noirs immobiles étaient sans éclat — et fixaient le vide —»

164

263

Ce que Munch ne précise pas, c'est que dans cette toile il se réfère aux
études de sa sœur débile Laura qu'il avait faites autrefois à l'hôpital de
Gaustad et où elle est représentée assise, tassée sur elle-même et prostrée. (Pour ce qui est de la composition, Munch s'est probablement ins-

263 MELANCOLIE (LAURA). 1899

264

265

266

264 LA CROIX VIDE. 1899/1901
265 LA CROIX VIDE. 1899/1901
266 LA CROIX VIDE. 1899/1901

piré de la lithographie de Vuillard, *Intérieur à la suspension,* tirée de la série *Paysages et Intérieurs* de 1899). En repoussant la figure de femme dans un angle de la pièce, entre le paysage visible par la fenêtre et le reflet de celui-ci sur le mur derrière elle, il l'isole entièrement du monde extérieur. Le paysage bleuté qui lui reste inaccessible contraste avec la

267

fleur placée sur la table devant elle. Dans l'œuvre de Munch, la fleur symbolise souvent l'art, qui puise son aliment dans le sang. La femme mélancolique, qui peut d'ailleurs être considérée comme un symbole de l'artiste lui-même, semble avoir établi une sorte de contact avec la fleur, mais pas avec la réalité extérieure.

　　Dans *Golgotha* également se pose le problème de l'existence même de l'artiste. Les deux figures d'hommes, le crucifié nu et l'homme pâle de profil au premier plan, ont les traits de Munch. Au premier, exposé dans sa nudité, la foule adresse moqueries ou hommages. Le second au contraire se fond dans la multitude qui l'entoure. La femme hideuse et démoniaque qui pose la main sur son épaule, c'est sa croix à lui ici-bas. L'artiste se trouve devant ce choix fondamental: créer dans la solitude et la souffrance, ou ruiner son talent dans les trivialités de la vie quotidien-

267　GOLGOTHA. 1900

167

268

269

268 LA DANSE DE LA VIE. 1899
269 LA DANSE DE LA VIE. 1899

ne. Les masques démoniaques au premier plan sont rendus par une op-position de rouge et de vert vif, comme s'ils étaient vus dans un délire. Par ses couleurs violentes et l'accumulation presque cacophonique des figures grotesques de la foule, ce tableau apparaît comme faisant directe-ment le lien entre les masques d'Ensor et l'art de la couleur du XXe siè-cle.

La danse de la vie est le dernier grand sujet de *La frise de la vie* et sans doute celui qui se serait le plus facilement prêté à une décoration murale. La simplification de l'expression picturale correspond à celle du message symbolique. Les trois figures de femme au premier plan sont caractérisées par les cernes différents qui les entourent chacune: délicat et vibrant pour celle vêtue de blanc sur la gauche, dévorant et envelop-pant pour celle aux vêtements rouges qui danse au centre avec l'homme pâle, rigide et anguleuse pour la figure en noir sur la droite, qui semble s'être retirée de la «danse». Ce jeu sévère de marionnettes contraste avec la danse burlesque du couple à l'arrière-plan; le gros homme au visage vert a les traits de Gunnar Heiberg, celui qui avait présenté Tulla Larsen et Munch l'un à l'autre. Munch était animé à son endroit d'une jalousie morbide qui transparaît dans ses récits, dessins ou gravures, car il le soupçonnait d'avoir été son amant avant de la lui avoir «présentée».

168

270

271

272

Sur un plan plus personnel, on peut voir également dans *La danse de la vie* une projection des relations entre Tulla Larsen et Munch. Les trois femmes du tableau ont les traits de Tulla, et l'homme pâle, ceux de Munch. Dans un brouillon de lettre où il se réfère au *Sphinx,* il lui écrit:

«J'ai vu beaucoup de femmes qui tout comme un cristal ont des milliers d'expressions changeantes, mais je n'en ai rencontré aucune qui de façon si caractéristique n'en ait que trois — mais très marquées.»

Munch s'étend longuement dans son *Journal* sur le sujet d'*Hérédité*. Dans un hôpital soignant les maladies vénériennes, il avait rencontré une femme en larmes, tenant son enfant livide et nu dans les bras; elle venait d'apprendre que «souillé par le péché des pères», celui-ci était condamné:

«Ce visage tordu par le désespoir devait être peint tel que je l'avais vu ce jour-là, contre le mur vert d'hôpital — Et les yeux de l'enfant, interroga- teurs, douloureux, je devais les peindre tels qu'ils étaient avec ce regard fixe qui sortait de ce petit corps cireux, livide comme le linge blanc sur lequel il reposait — Je dus pour cela sacrifier beaucoup d'autres choses — la vérité

270 HEREDITE. 1897/99
271 HEREDITE. 1897/99
72 ETUDE POUR HEREDITE. 1893
ou 1894

169

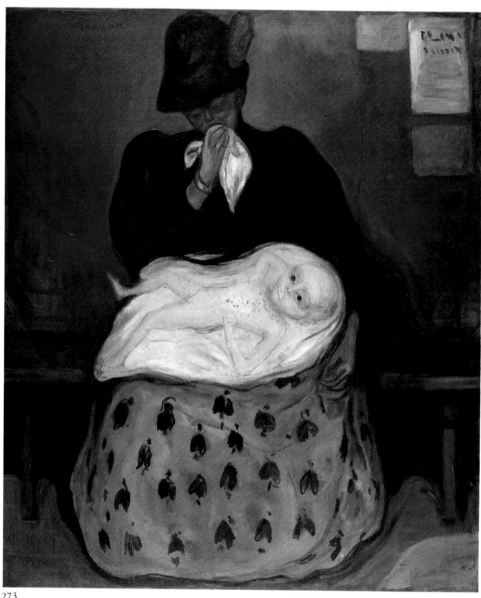

273 HEREDITE I. 1897/99

273

Dans *Hérédité*, Munch utilise des symboles qui se réfèrent à d'autres thèmes fondamentaux de son œuvre; ainsi le dessin de la feuille fanée sur
la robe de la femme est-il repris de *Madone au cimetière*, tandis que la

170

274

position de l'enfant sur les genoux de sa mère rappelle celle de *Madone.*
C'est ici que se fait jour ce que l'on pourrait appeler l'aspect ésotérique
de l'œuvre de Munch. Avec le fœtus placé dans le cadre original de *Ma-*
done (et conservé dans une version lithographique), voulait-il exprimer
la même intention qu'avec l'enfant syphilitique d'*Hérédité?*

«L'enfant fixait de ses grands yeux profonds ce monde dans lequel il avait
involontairement pénétré — malade, anxieux, il regarde d'un air interro-

171

gateur autour de lui, étonné par cette douleur qu'il découvre et demande déjà: Pourquoi — pourquoi?»

Pendant qu'il peint ce tableau, Munch est torturé par le doute, ne pouvant décider s'il doit ou non épouser Tulla Larsen. Dans une de ses nombreuses notes autobiographiques, il écrit:

«Nous les malades, devons-nous fonder un nouveau foyer où le poison de la phtisie viendra dévorer l'arbre de vie — Un nouveau foyer avec des enfants condamnés à mort —»

Dans la figure de la femme, il désire peindre «les vraies larmes — telles qu'elles venaient quand elle était au fond du désespoir» et à travers celle de l'enfant qui «fixait de ses grands yeux profonds ce monde dans lequel il avait involontairement pénétré», décrire sa propre situation:

«Moi qui suis venu au monde malade — parmi des malades — et pour lequel la jeunesse a été une chambre de malade et la vie une fenêtre baignée de soleil, avec des couleurs merveilleuses et des joies merveilleuses.»

Bien qu'appartenant au monde thématique de *La frise de la vie*, *Hérédité* porte également un message social aux implications religieuses. La mère et l'enfant de la tradition iconographique chrétienne était un sujet galvaudé dans la peinture du XIXe siècle bourgeois aux images dévotes et sentimentales. En reprenant la même formule picturale que dans les figurations traditionnelles de la Vierge et l'Enfant, *Hérédité* évoque la souffrance et la déchéance humaines avec une gravité presque naïve. Quand trois ans plus tard ce tableau fut exposé au Salon des Indépendants à Paris, sous le titre *La mère*, il suscita de très vives réactions. Munch avait manifestement dépassé les limites de ce qu'il était permis de représenter sur une toile.

Pendant les deux ou trois dernières années du siècle, au moment où les chefs-d'œuvre semblent littéralement jaillir de sa main, on pourrait penser que, parallèlement, la vie privée de Munch est relativement harmonieuse mais la réalité est toute différente. Les festivités se succèdent dans les milieux d'artistes, ses nerfs sont à fleur de peau, il souffre constamment de bronchite ou de grippe et sa liaison avec Tulla Larsen est loin d'être sans nuage. Elle souhaitait manifestement l'épouser, mais, lui, avait le plus grand mal à se décider. Quand en avril 1899, il partit pour Berlin avant de continuer jusqu'à Paris, elle le suivit aussitôt. Il avait en poche la somme alors très importante de 3500 couronnes, la Galerie Nationale ayant acheté *Le printemps* ainsi que le portrait de sa sœur Inger peint en 1892. Fêtes et beuveries reprennent de plus belle, ce qui lui

275

275 DANSE SUR LA PLAGE. 1900/1902

276

276 TULLA LARSEN. 1899

réussit très mal et aggrave ses problèmes d'alcoolisme. Parlant de lui-même à la troisième personne, il écrira plus tard:

«*Fatigué, abattu et malade — il se réveillait — et commençait dès le matin à boire.*»

Ils se rendent ensuite tous les deux à Florence où Munch tombe gravement malade et doit se reposer. Elle repart pour Paris, tandis qu'il poursuit jusqu'à Rome où il souhaite étudier certaines œuvres d'art. Pendant l'automne et l'hiver suivants, il fera de longs séjours en Norvège dans un sanatorium du Gudbrandsdal. Mais au mois de mars, Tulla lui écrit de Berlin; c'est elle qui est malade et elle a besoin de lui. Après avoir reçu d'elle l'argent nécessaire au voyage, il part la rejoindre et ils descendent ensuite vers le Sud. Comment Munch ressent cette situation, il l'exprime dans son Journal:

«*Depuis son enfance, il avait détesté le mariage. La maladie et les troubles mentaux dont souffrait sa famille lui avait donné le sentiment qu'il n'avait pas le droit de se marier —*
Il faut nous guérir, dit-il — Partons vers le Sud — Ils séjournèrent à Dresde dans un hôtel — toujours la même lassitude — fatigue — la boisson toute la journée, puis l'amour, l'affaiblissaient encore davantage. Elle revenait toujours sur cette question de mariage — Las et malade, il finit par céder et accepter de faire un essai — Elle se chargea de tout — toutes les formalités nécessaires — Les papiers furent déposés à la mairie — Mais lui — reculait toujours — se répétant que cela lui était impossible —»

Finalement, Munch prit la fuite à la fin du printemps 1900 et nous ignorons s'il revit Tulla avant leur rupture définitive deux ans plus tard à Åsgårdstrand, à l'issue de la fameuse scène où il eut deux doigts blessés par un coup de revolver. Souvent par la suite il invoquera le profond traumatisme que cette scène provoqua en lui pour expliquer ses nombreuses difficultés jusqu'à la crise nerveuse qui le terrassa en 1908.

En décembre 1900, il expose dans les salles Diorama un grand nombre de peintures et de gravures qui pour la plupart avaient déjà été montrées à Christiania; ceci explique sans doute que cette manifestation passa inaperçue aussi bien du public que de la critique. Au printemps de la même année, il avait toutefois obtenu un certain succès international au Salon de Munich où cinq de ses toiles avaient reçu un accueil suffisamment favorable pour qu'on l'invitât peu après à en présenter deux à la Sécession de Vienne. A Dresde il avait une nouvelle fois exposé chez Arno Wolfframm et là aussi les critiques avaient été bonnes, surtout pour ses derniers paysages. En septembre 1901, il expose de nouveau

277

278

des peintures et des gravures à Christiania dans Hollændergården et la
Galerie Nationale achète deux paysages. A l'exception du journal *Morgenbladet* qui conteste cette acquisition, la critique se montre presque
unanimement favorable, mais ni ces réactions positives ni la décision de
la Galerie Nationale n'entraînèrent de répercussions sur les ventes. A
l'automne 1901, tous les tableaux de Munch se trouvaient déposés chez
le commissaire-priseur Wang, à titre de gage pour divers emprunts. Tout
espoir de vente à Christiania semblait devoir être abandonné et l'artiste
se trouvait dans une situation financière désespérée.

C'est probablement pourquoi il jugea alors nécessaire de s'établir
dans une grande capitale européenne, afin d'être en mesure d'y exploiter
un éventuel succès. L'accueil favorable qui lui avait été réservé à Munich, à Dresde et à Vienne, l'avait en effet convaincu que sa peinture
pouvait s'imposer. Il hésita un moment entre Paris et Berlin, puis finalement opta pour l'Allemagne sur le conseil de Julius Meier-Graefe qui,
bien que lui-même installé à Paris, entretenait toujours d'étroits contacts
avec la vie artistique berlinoise. En décembre il loua pour trois mois, au
no 82 de Lützowstrasse, un atelier tout à fait respectable et se mit à travailler avec acharnement pour se faire définitivement reconnaître dans
la capitale allemande.

Il avait d'abord envisagé de faire une exposition dans la plus prestigieuse galerie d'avant-garde de la ville, celle de Paul Cassirer. Le projet
n'aboutit pas mais comme ce dernier était également secrétaire de la Sécession de Berlin, Munch fut assez vite invité à venir y exposer «toute

277 P.H. BEYER & SOHN, LEIPZIG.
1903
278 P. H. BEYER & SOHN, LEIPZIG.
1903

175

279

279 ATTRACTION I. 1895

280 LES YEUX DANS LES YEUX.
1894

cette série tant dénigrée qui traitait de l'amour et de la mort — ainsi que six autres peintures.»

L'heure était apparemment venue pour Munch de se faire une place dans cette Sécession à la naissance de laquelle il avait largement contribué par sa fameuse exposition de 1892 à l'Association des artistes berlinois. Ceux qui avaient alors conduit l'opposition au sein de l'Association — Max Liebermann, Walter Leistikow et Ludwig Hoffmann — se trouvaient maintenant à la tête de la Sécession, créée quelques années plus tard en 1898. Celle-ci jusqu'alors ne s'était guère distinguée de la grande Exposition de Berlin patronnée par le Kaiser et la section étrangère, toujours peu importante, n'avait pas prêté à controverse. Beaucoup de ses membres déploraient l'absence d'œuvres d'avant-garde et on vit s'élever au sein de la Sécession un désaccord assez semblable à celui qui en 1895 avait divisé les responsables de la revue *Pan.* Les éléments les plus conservateurs étaient partisans d'une ligne plus purement germanique face à Paul Cassirer notamment qu'ils accusaient d'exercer, en tant que secrétaire, une véritable mainmise sur l'exposition et d'en faire une émanation de sa propre galerie, alors très en vogue. Un certain nombre d'entre eux quittèrent même la Sécession, en signe de protestation. Mais l'étendard de la contestation d'avant-garde ne devait être levé qu'à l'exposition de 1902: par une ironie du sort, cette fois encore, comme lors de la première rupture dramatique avec l'Association des artistes, il portait les couleurs d'Edvard Munch.

La frise de la vie qui avait tant scandalisé le public allemand fut disposée véritablement en frise, dans un encadrement de toile blanche, le long des murs du grand hall d'entrée de la Sécession. Pour l'accrochage Munch fut aidé par Walter Leistikow qui s'était spécialisé dans la décoration intérieure moderne. Munch écrira plus tard:

«A la Sécession de Berlin en 1902, La frise de la vie *était exposée sous forme de frise — le long de tous les murs du grand hall d'entrée — peut-être un peu trop haut — ce qui faisait perdre à l'exposition un peu de son intimité — Les toiles étaient encadrées de blanc — selon mes indications — L'effet venait de leur similitude et de leur disparité — disparité dans les couleurs et dans les dimensions, mais unité par des couleurs — et des lignes bien déterminées — (et par l'encadrement) — des lignes horizontales — et verticales — les lignes verticales des arbres et des murs — dans le sol — et la terre — et les toits et les feuillages — des lignes plus horizontales — dans les lignes de la mer — une berceuse ondoyante. Il y avait de tristes harmonies gris-vert dans les couleurs des chambres mortuaires — des cris fulgurants dans des ciels rouge sang et des résonnances rouges, rouge violent — jaunes — et vertes — L'effet d'une symphonie — qui fit sensation — beaucoup d'hostilité — et beaucoup d'éloges.»*

176

280

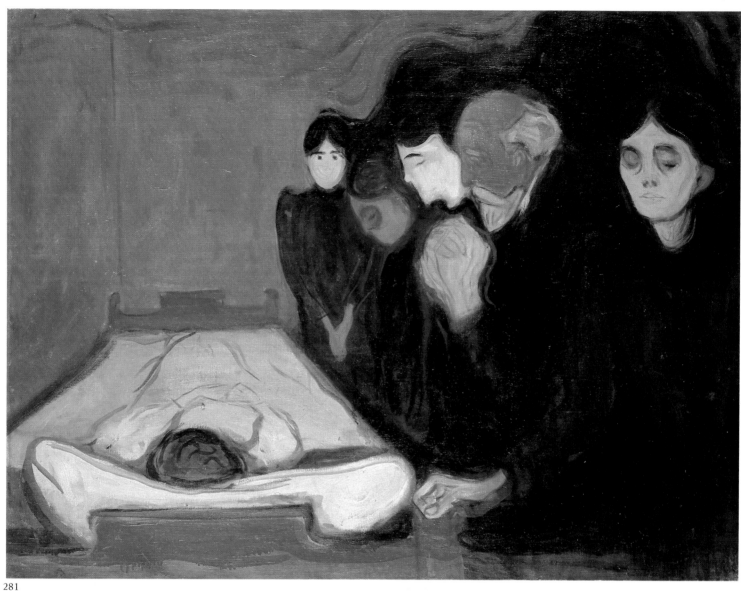

281

281 LIT DE MORT. 1895

282 ANGOISSE. 1894

Le titre collectif porté dans le catalogue, était *Frise. Présentation d'une série d'images de la vie,* mais sur chacun des quatre murs les toiles étaient regroupées par thèmes: sur le mur de gauche, «Naissance de l'Amour» comprenait notamment *Rouge et blanc, Les yeux dans les yeux, Le baiser* et *Madone.* Sur le mur face à l'entrée figuraient *Après la chute, Le vampire, Jalousie, Le sphinx* et *Mélancolie,* regroupées sous le titre «Floraison et déclin de l'Amour». Le mur de droite était consacré à l'«Angoisse de la vie» avec *Le cri, Angoisse* et *Vigne vierge rouge* et celui de l'entrée à «La

179

283

284

283 EDVARD MUNCH DANS SON
ATELIER DE LUTZOWSTRASSE
82, BERLIN. 1902
284 MODELE DANS L'ATELIER DE
MUNCH A LUTZOWSTRASSE
82, BERLIN. 1902

mort» avec *Dernier combat, La mort dans la chambre de malade, La jeune fille et la mort (Leben und Tod)* et *La mère morte et l'enfant (Der Tod und das Kind)*. C'était la première fois que les tableaux qui traitaient de l'amour et de la mort étaient ainsi présentés par thèmes et jusqu'en 1905 cette *Frise de la vie,* sous ses différentes formes, fera partie intégrante de toutes les expositions de Munch. Le choix des toiles et l'accrochage, dont dépendait l'impression d'unité d'inspiration et de composition, était fonction à la fois de la disposition des locaux et des toiles alors disponibles. Ceci veut dire que cette synthèse des œuvres majeures produites par Munch au tournant du siècle sur les thèmes de l'amour, de l'angoisse et de la mort pouvait selon les cas s'infléchir dans un sens ou dans un autre. Néanmoins, telle qu'elle était exposée à la Sécession en 1902, elle constitue le meilleur point de référence pour comprendre la véritable envergure du projet.

La presse allemande consacra à Munch de nombreux articles, la plupart objectifs, bien documentés et très favorables, mais son œuvre resta incomprise du grand public. Dans *Kunst für Alle,* Hans Rosenhagen, l'un des critiques les plus écoutés, constate que celui-ci ne sait pas voir que

«de la combinaison de ces trois éléments, l'ivresse brutale, nordique de la couleur, l'influence de Manet et une tendance à la rêverie, jaillit quelque chose de tout à fait particulier.»

L'accrochage à la fois explicite et esthétiquement réussi qu'avait réalisé Munch pour cette exposition contribuait certainement aussi à faire ressortir toute la magnificence de la couleur et c'est sans doute pourquoi la critique vit d'abord en lui un maître de la couleur aussi bien qu'un artiste au langage naïf, primitif et volontairement enfantin. Sa réputation d'anarchiste et de névrosé avait disparu: il devenait maintenant le symbole du talent véritablement naturel que n'a pas encore contaminé la culture. L'intérêt grandissant qui se manifesta pour son art au cours des années suivantes en Allemagne était tout à fait parallèle à celui qui se faisait jour en même temps pour les arts primitifs et populaires ainsi que pour les dessins d'enfants.

Au cours de ce même hiver à Berlin, Munch fit la connaissance d'Albert Kollmann, une sorte de mystique amateur d'art, qui le prit complètement en charge, s'employa sans relâche à vendre ses tableaux et le mit en contact avec le docteur Max Linde, un ophtalmologiste de Lübeck, qui devait devenir son premier client important. Celui-ci avait une collection de toiles modernes françaises qui passait pour la plus représentative d'Allemagne. Le 18 février Munch écrit à Andreas Aubert à Christiania:

180

285

285 ALBERT KOLLMANN. 1902

«*Cela fait la deuxième fois que je refuse une offre de Schou pour la* Nuit d'été *— c'était pour la collection de Max Linde à Lübeck — qui compte cinq Rodin — plusieurs Manet, Monet, Whistler et Degas.*»

La raison pour laquelle il ne pouvait vendre *Nuit d'été (Jeunes filles sur le pont)* était qu'Olaf Schou avait une option sur elle, accordée par Munch en échange d'une garantie. Le docteur Linde décida alors d'acheter une

181

287

286

autre toile, *Fécondité,* qu'il rebaptisa *Erdsegen (La bénédiction de la terre)*. Après bien des années de lutte, Munch voyait enfin son talent reconnu, en Allemagne tout au moins:

«Après vingt années de combat et de misère» — écrira-t-il — «les bonnes fées viennent enfin à mon aide en Allemagne — et devant moi s'ouvrent des portes lumineuses —»

Mais de retour à Christiania, il dut très vite déchanter. Cette consécration de son talent, dont témoignait la présence de tant de ses grands tableaux à l'exposition sécessionniste de Berlin, semblait être passé inaperçue de la presse norvégienne qui pourtant rapportait volontiers, et avec force détails, les moindres faits et gestes des artistes norvégiens sur le continent. Qui plus est, le critique Andreas Aubert choisit ce moment pour publier dans le journal *Morgenbladet* une analyse des deux paysages d'hiver acquis un an plus tôt par la Galerie Nationale. S'il ne cachait pas son admiration pour les paysages de Munch, il était par contre en désaccord avec la morale artistique qui sous-tendait ses autres œuvres. Jens Thiis, le futur directeur de la Galerie Nationale, eut beau prendre vigoureusement la défense du peintre, cette accusation d'amoralité continua à planer.

L'été à Åsgårdstrand fut également très éprouvant pour Munch sur le plan personnel. Une querelle avec le peintre von Ditten dégénéra en

288

pugilat, ce qui fut largement relaté dans la presse et fit l'objet de nombreuses caricatures; même en Allemagne les journaux mentionnèrent l'incident. Survint ensuite, entre Munch et Tulla Larsen, la scène dramatique déjà mentionnée plus haut et qui devait se terminer par un coup de feu. Les deux amants s'étaient plus ou moins réconciliés au cours de l'été mais lors d'une discussion particulièrement violente, Munch s'empara d'un revolver, le coup partit et lui blessa deux doigts. Après ce drame, Tulla fit un voyage à Paris avec Gunnar Heiberg et Sigurd Bödtker accompagnés de leurs femmes, ainsi que le jeune peintre Arne Kavli qu'elle devait épouser l'année suivante. Munch se sentit abandonné et trahi par ses anciens amis, cette «Camarilla» comme il devait les appeler plus tard; dans différentes notes littéraires, pièces de théâtre et séries lithographiques, il revient sur cette humiliation qui est à l'origine de plu-

288 LE CORBILLARD SUR
POTSDAMER PLATZ. 1902

183

289

289 LES DAMES SUR L'EMBARCADERE. 1902

290

sieurs toiles pleines d'amertume, en une période où par ailleurs sa peinture est caractérisée par un symbolisme vigoureux et une éclatante pureté de coloris.

Après son succès à Berlin quelques mois plus tôt, la grande exposition de ses œuvres récentes qui s'ouvrit le 24 septembre chez Blomqvist à Christiania, juste après sa sortie de l'hôpital, fut pour Munch une autre déception. Au début elle n'attira que très peu de visiteurs mais à la suite d'un article anonyme dans l'*Aftenposten* qui sous le titre «Nous faisons la grève» encourageait à boycotter ces «barbouillages» et ces «saletés», le public se précipita pour voir de ses yeux des toiles si scandaleuses.

Le principal tableau de l'exposition était *Dames sur l'embarcadère,* aujourd'hui à la Bergen Billedgalleri. La figure centrale en est Aase Nörregaard, la très chère amie de Munch. Elle vient à notre rencontre, parfaitement élégante et sûre d'elle, telle une allégorie éblouissante de l'en-

290 NOURRICES DEVANT LA COUR
D'ASSISES. 1902

185

291

291 PROJET. 1898/1901

292 LE DEPART DU CERCUEIL.
1898/1901

292

trée de la Femme dans le nouveau siècle. Les tableaux qui suscitèrent le plus d'hostilité furent *Potsdamer Platz*, une toile naïve intitulée *Le départ du cercueil*, une autre de style plus décoratif *Jeunes filles au bain* et *Nourrices devant la cour d'assises* où l'on distingue l'influence de Dau-

186

293

mier. *Potsdamer Platz* décrit l'agitation de la rue dans la lumière scintillante de l'hiver; des touches de couleur pure, rouge, jaune et bleu vibrent sur la toile à peine couverte, ce qui dut paraître assez audacieux à l'époque. Le corbillard juif passant sur la place apporte seulement une ombre de mélancolie: la vie et la mort sont présentes aussi naturellement l'une que l'autre. *Le départ du cercueil* est également une toile très inhabituelle pour l'époque. Les enfants y sont représentés comme symbole de leur attitude devant la mort et l'artiste est allé jusqu'à imiter leur façon de peindre. Il est plus difficile de comprendre aujourd'hui pourquoi *Jeunes filles au bain* causa une telle sensation. L'artiste y dépeignait une scène «concrète», sans aucune «action», et prise comme un instantané; c'est sans doute pourquoi le public n'arrivait tout simplement pas à comprendre de quoi il s'agissait.

293 JEUNES FILLES AU BAIN.
1901/1902

187

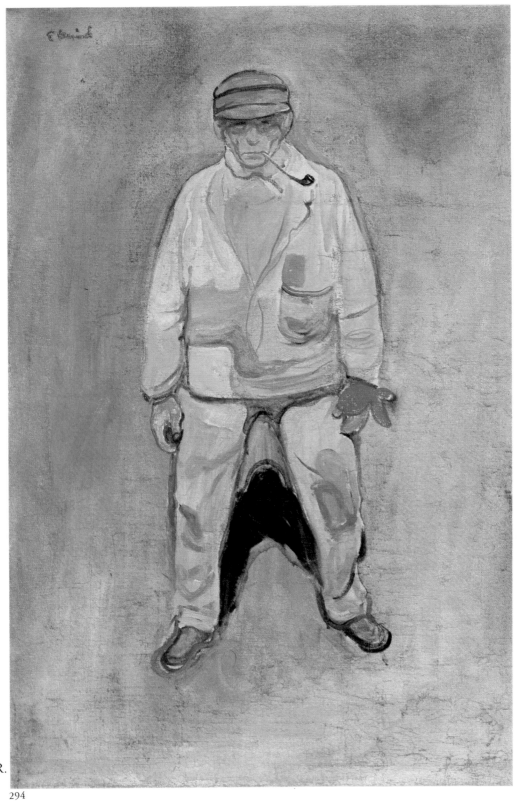

294 LE PECHEUR.
Vers 1902

294

1902 – 1907 – DES PORTES S'OUVRENT SUR LE CONTINENT

En 1902 le docteur Max Linde, qui possédait maintenant des épreuves de presque toutes les œuvres graphiques de Munch, invita celui-ci à venir faire chez lui une série d'eaux-fortes connue depuis sous le nom de série Linde — le représentant lui-même ainsi que les membres de sa famille, sa maison et son magnifique parc. L'admiration du docteur pour les œuvres de Munch était telle qu'il avait été jusqu'à écrire un livre, *Edvard Munch und die Kunst der Zukunft* (Edvard Munch et l'art de l'avenir). En ophtalmologie comme en art il s'intéressait particulièrement aux problèmes de la perception visuelle et ce qui lui paraissait important pour l'avenir de la peinture, c'était la manière dont l'artiste voit le monde. Comme il avait également une très importante collection d'œuvres de Rodin, la plus grande après celle que le sculpteur lui-même conservait dans son atelier, il pouvait établir d'intéressants parallèles entre les deux artistes qu'il mettait l'un et l'autre au rang des plus grands précurseurs, avec Grünewald, Dürer, Michel-Ange, Rembrandt et Böcklin.

En janvier 1903, Munch parvient enfin à exposer dans la galerie de Paul Cassirer à Berlin une intéressante sélection de ses dernières œuvres où éclate toute l'originalité de son talent de coloriste. Le livre du docteur Linde y était également présenté et le très influent critique Hans Rosenhagen écrivit à cette occasion que «Munch était l'un des plus grands talents de la peinture moderne». Contrairement à Linde, il voyait en son art l'aboutissement d'une tradition plutôt qu'une ouverture vers de nouveaux horizons.

En mars, Munch partit pour Paris où il exposa au Salon des Indépendants plusieurs toiles très remarquées qui toutes puisent leur inspiration dans l'univers de l'enfance, l'un de ses thèmes favoris en ce début du siècle. Outre *Hérédité (La mère)*, il y avait *La pluie* où, dans un coloris éclatant on peut voir deux jeunes filles de dos sur la terrasse de sa mai-

295

295 MUNCH AVEC SA PLAQUE DE CUIVRE ET SON ECHOPPE CHEZ LE DOCTEUR LINDE. 1902

189

son d'Åsgårdstrand, et *Enfants dans la forêt enchantée*. Une nouvelle version de *Nuit d'été (Jeunes filles sur le pont)* fut vendue au célèbre collectionneur russe Morozov, ce qui ne devait pas non plus passer inaperçu. Dans un article de *La grande France,* les frères Leblond soulignèrent la nouveauté radicale que représentait cette incursion dans le monde de l'enfance, ainsi que l'étonnante vigueur du coloris.

Munch n'avait pas exposé à Paris depuis 1898 et l'intérêt qu'il suscita aussi bien dans la presse que dans le public ne put manquer d'attirer sur lui l'attention de ceux qui devaient devenir les Fauves, comme Matisse, Derain, Dufy, Friesz et Marquet. A la même époque il se lia intimement avec la violoniste Eva Mudocci qui, pendant les deux années qui suivirent, devait lui servir de guide dans la capitale. Elle était l'amie de Matisse pour lequel elle posait et c'est précisément à cette époque que celui-ci abandonna sa manière académique et disciplinée pour une peinture plus «sauvage» qu'on devait appeler fauve.

Au printemps, Munch loua à Paris un vaste atelier de plusieurs pièces où il entreposa un grand nombre de ses tableaux. Il avait l'idée d'y organiser une exposition semblable à celle qu'il venait de faire dans la capitale allemande. Il ne put réaliser son projet, car dès le mois d'avril il se rendit à Lübeck pour peindre le portrait des fils du docteur Linde mais pendant plus d'un an l'atelier fut ouvert en permanence à ses amis qui pouvaient ainsi voir ses toiles. C'est ainsi que Carl Ernst Osthaus acheta un paysage pour son musée privé de Folkwang. Nous ignorons si certains des Fauves eurent l'occasion de venir à l'atelier où ils auraient pu voir d'autres toiles que celles qui avaient été présentées au Salon des Indépendants. Il est en tout cas évident que l'on décèle une certaine influence de Munch dans les paysages qu'ils peignent à partir de 1905 — 1906. L'année suivante, en 1904, Munch est présent au Salon des Indépendants avec cinq peintures: des vues d'Åsgårdstrand, *Mélancolie (Laura),* exécutée quelques années plus tôt, et une nouvelle version, monumentale, de *Dames sur l'embarcadère.* Son appartenance au nouveau mouvement des Fauves semblait déjà un fait acquis et en 1906, quand ceux-ci firent leur entrée en force au Salon des Indépendants, les critiques le classèrent effectivement parmi eux. Ses œuvres étaient présentées d'ailleurs dans la même salle que celles de Marquet, Manguin, Puy, Karsten, Vlaminck et van Dongen. (Matisse, lui, figurait avec Derain et Czobel dans une autre salle). Il est difficile d'identifier avec précision les toiles de Munch qui figuraient à l'exposition. Deux d'entre elles étaient des paysages de la Thuringe où certains décelèrent une influence de van Gogh. Une autre, *Les buveurs,* déplut par son aspect inachevé. Le net refus de la profondeur qui s'y manifeste n'est pas sans évoquer, en dépit de nombreuses différences, le style décoratif alors pratiqué par Matisse. Il est en tout cas certain qu'à partir de 1907 il est

190

296

297

298

296 LA PLUIE. 1902
297 LES JEUNES FILLES SUR LE
PONT. 1899/1901
298 FORET DE THURINGE. Vers
1905

299

299 AUTOUR DE LA TABLE. 1906

300

301

301 QUATRE PETITES FILLES A
ÅSGÅRDSTRAND. 1902

300 LES QUATRE FILS DU
DOCTEUR LINDE. 1903

plus facile de déceler l'influence des Fauves sur Munch que l'inverse.

Revenons au mois d'avril 1903, quand Munch se rendit à Lübeck pour y faire le portrait collectif des quatre fils du docteur Linde, que celui-ci désirait offrir en cadeau d'anniversaire à sa femme. Il avait demandé que le style du tableau s'apparente à celui de *Quatre jeunes filles à Åsgårdstrand* qui avait été exposé chez Cassirer au mois de janvier de la même année. De toute évidence, en peignant le groupe des quatre garçons, Munch avait présents à la mémoire les grands portraits d'enfants de la tradition classique: *Les enfants de Charles Ier* de van Dyck, *L'enfant bleu* de Gainsborough et peut-être aussi le portrait des enfants Zoria de Goya. Mais les enfants qu'il peignait, avec leur vitalité et leur entrain, étaient bien de leur époque. Le docteur Linde fut enthousiasmé par le résultat et l'historien de l'art allemand Carl Georg Heise a été jusqu'à voir dans cette toile, où la rigueur de la composition s'allie à une présentation très naturelle, le plus remarquable portrait de groupe du XXe siècle.

C'est sans doute lors de ce séjour à Lübeck que naquit l'idée d'un décor mural pour la chambre des enfants Linde. Mais celui-ci ne devait jamais être réalisé, le projet présenté par Munch un an et demi plus tard

302

302 DEUX PETITES FILLES EN
TABLIER BLEU. 1904/05

ayant été refusé. C'est sans doute pour ce décor que l'été suivant à
Åsgårdstrand, il réalisa toute une suite de vues d'une forêt de conte de
fées. Il peignit également une nouvelle version de *Dames sur l' embarcadère* qui figure aujourd'hui à la galerie Thielska à Stockholm. Dans celle-ci encore, Aase Nörregaard a servi de modèle, mais cette fois elle figure au centre d'un groupe de femmes dont la forme fait penser à un cône.

194

303

L'aspect presque sculptural de ce groupe, sa simplicité quasi primitive, ont peut-être été inspirés à Munch par les œuvres de Rodin qu'il avait pu voir chez le docteur Linde. Au même moment d'ailleurs lui-même s'essayait à la sculpture et en 1903 il avait même reçu à cet effet deux paquets de plastoline de la part du docteur Linde. Il devait plus tard affirmer qu'avec cette forme conique souvent reprise après dans son œu-

303 LES DAMES SUR
l'EMBARCADERE. 1903

195

304

305

304 HARRY GRAF KESSLER. 1904.
305 LE CONSUL CHRISTEN
SANDBERG. 1901

vre, il avait créé une sorte de précubisme et signifié ainsi qu'il renonçait à faire des lignes et des surfaces les éléments porteurs de l'œuvre d'art. Il est d'ailleurs intéressant de trouver à la même époque, dans les sculptures de Käthe Kollwitz et d'Ernst Barlach, des formes tout à fait comparables à ce cône compact.

En novembre 1903, Munch expose de nouveau chez Cassirer où il partage cette fois la grande salle avec son prestigieux aîné Goya. Cassirer avait en effet pour politique de réunir deux peintres de la même famille artistique afin que leurs œuvres juxtaposées s'éclairent les unes les autres. De Goya n'étaient exposés que des portraits car on voulait mettre l'accent sur cet aspect de son œuvre pour lequel il était tenu comme un précurseur. Et de fait, avec Vélasquez et Manet, il était le grand maître dont devait s'inspirer Munch entre 1903 et 1908. Ses personnages portent souvent la marque d'un profond tourment, physique et moral, et c'est la même inquiète vitalité que l'on retrouve alors dans les portraits de Munch. Chez Goya, l'artiste norvégien avait su voir quelle nouvelle dimension peut apporter à l'art du portrait une intense expressivité sous-tendue par un profond besoin de communication.

A cette exposition chez Cassirer, Munch présentait entre autres le portrait des *Quatre fils du docteur Linde,* qui fut très admiré, et parmi plusieurs nouvelles toiles très colorées qui avaient pour cadre le pittoresque village d'Åsgårdstrand, *Fécondité (La bénédiction de la terre).* Même si la majorité des toiles exposées n'étaient pas des portraits, la comparaison avec Goya fit apparaître l'art avec lequel Munch savait dépeindre les hommes de son temps.

Parmi les commandes qui commençaient à affluer, une des plus flatteuses fut le portrait de Harry Graf Kessler, alors directeur de l'Académie des beaux-arts de Weimar; celui-ci pose assis à son bureau, devant une imposante bibliothèque. De grandes parties de la toile sont restées vierges, laissant briller le blanc de la sous-couche, tandis que les livres forment sur l'étagère de larges stries de lumière colorée. Cette fois encore, l'intéressé fut enchanté du résultat.

Sans doute encouragé par ce succès, Munch décida de faire le portrait en pied de Hermann Schlittgen. Il le fit poser dans sa minuscule chambre d'hôtel de Weimar et termina son œuvre en un temps record. La robuste silhouette est fermement campée sur un tapis aux couleurs vives, dans un angle de la pièce. La ligne où se rejoignent les deux murs n'étant pas indiquée, la distance entre ceux-ci et le personnage reste indécise et la dynamique ainsi créée entre l'individu et l'espace contribue à accentuer l'énergie rayonnant du personnage. Ce portrait qui très vite devait apparaître comme un archétype, fut baptisé *L'Allemand.* Peu de temps après, Munch peindra à Berlin le portrait de Marcel Archinard, personnage tout différent, plus élégant et plus intellectuel, qui sera, lui,

307

306 HERMAN SCHLITGEN
(L'ALLEMAND). 1904
307 LE DOCTEUR MAX LINDE EN
TENUE DE MARIN. 1904

306

308

309

310

aussitôt baptisé *Le Français.* Fort de ces deux réussites, Munch repartit pour Lübeck, à la demande cette fois de Madame Linde qui désirait lui faire faire le portrait en pied de son mari. En fait, Munch en exécutera deux: l'un où le docteur est représenté très digne dans un costume sombre, l'autre où il est plus nonchalamment vêtu d'une tenue bleue de marin.

Quand arrive l'été 1904, Munch reprend le chemin de son cher Åsgårdstrand où il prépare un nouveau projet de décor pour la chambre des fils du docteur Linde. Il travaille également à une toile de format monumental et d'une robuste vitalité, qui représente des hommes au bain et pour laquelle lui-même et ses amis servent de modèles. Des grandes dimensions (194 x 290 cm) de ce tableau, le plus grand qu'il eût

199

jamais peint, on peut déduire qu'il a été fait dans une intention bien précise. Peut-être était-il destiné aux collections ducales à Weimar? Le Duc appréciait particulièrement ce genre de sujet et Munch avait été fort bien accueilli là-bas le printemps précédent: il avait été présenté à la Cour et il y avait fait la connaissance de personnalités comme Harry Graf Kessler que nous avons déjà mentionné, le grand architecte Henri van de Velde, Elisabeth Förster-Nietzche, sœur de Friedrich Nietzche et le diplomate Graf Prozor, épris de mysticisme et traducteur d'Ibsen. On lui proposa même un atelier à l'Académie des beaux-arts, ce qui équivalait en réalité à une chaire, mais il buvait trop et était trop nerveux et instable pour qu'un tel projet pût se réaliser.

Son alcoolisme grandissant posait des problèmes sans cesse plus graves. Au cours d'une beuverie dans un restaurant de Copenhague, il fut rossé par l'écrivain Andreas Haukland et se vengea le lendemain en attaquant ce dernier en pleine rue. L'évènement fut longuement relaté dans la presse danoise et norvégienne, ce qui n'était pas fait pour améliorer son équilibre psychique ni l'aider à terminer la frise destinée à la chambre des enfants de Linde, son client le plus exigeant.

Cette bagarre à Copenhague se produisit au moment du montage à «L'Exposition libre» d'une grande exposition personnelle qui s'ouvrit le 4 septembre 1904. Pour la première fois, Munch avait prévu une section exclusivement consacrée aux portraits, avec entre autres ceux de Graf Kessler, de Kollmann, de Schlittgen, d'Archinard et du consul Sandberg. L'accent sera également mis sur les portraits à l'exposition suivante qui aura lieu à Christiania dans les salles Diorama et qui en réunira 17 sans compter les études de modèle et les compositions avec figures.

A la fin de l'automne 1904, Munch se prépare à livrer trois grandes «batailles» sur le Continent: l'installation de la frise chez le docteur Linde à Lübeck, une exposition de portraits chez Paul Cassirer à Berlin et une importante exposition à l'Association artistique Manès à Prague. Au début du mois de décembre, il vint à Lübeck présenter sa frise, une œuvre tout à fait inhabituelle, d'une facture diversifiée et audacieuse, parfois étrangement naïve. Le docteur Linde n'apprécia pas beaucoup la spontanéité débridée de l'expression picturale, pas plus que les accents érotiques, d'une œuvre qui était destinée à décorer une chambre d'enfants, et il la refusa. Quant à l'exposition de portraits chez Cassirer, elle ne fut pas non plus un succès.

La grande exposition à Prague en 1905 représente par contre l'un des points culminants de la carrière du peintre. Ses 75 peintures et 50 gravures y furent extraordinairement bien accueillies, ce qui lui causa une très grande joie. Le maire de la capitale mit son attelage à sa disposition et pour l'accompagner en ville, il n'eut qu'à choisir parmi les plus jolies femmes de Bohème. L'exposition avait lieu à une époque où le

311

311 CLAIR DE LUNE SUR LA PLAGE. 1904/05

312

312 NU A LA COUVERTURE
ROUGE. 1902

fauvisme venait de naître à Paris et où par là même beaucoup de jeunes artistes tchèques se trouvaient incités à s'exprimer dans une manière proche de celle de Munch. Certains d'entre eux, comme Emil Filla, Bohumil Kubista, Antonin Prochazka et Vaclav Spala peignirent des toiles où l'influence du Norvégien est déjà manifeste avant même que le groupe «Die Brücke» à Dresde, sous l'égide de Kirchner et Schmidt-Rottluff, ne donnent naissance à l'expressionnisme allemand. Dans quelle mesure les jeunes artistes de Prague, par leur exemple, attirèrent-ils l'attention du groupe «Die Brücke» sur Munch, ou bien même l'influencèrent-ils directement, c'est une question restée jusqu'ici sans réponse, qui est d'un grand intérêt pour l'historien de l'art.

Si Munch avait été invité à Prague, c'était en raison de son succès à l'exposition de la Sécession de Vienne en janvier-février de l'année précédente, où il avait présenté 20 peintures. Ferdinand Hodler et lui-même s'étaient partagés le grand honneur de s'y voir consacrer chacun une salle. Les toiles de Munch furent très remarquées par le public qui, si l'on en croit les comptes rendus, se demanda pourquoi ce «fauteur de troubles» avait été invité à la Sécession, haut lieu de ce Jugendstil si «typé» et si spécifiquement viennois. Mais dans l'ensemble la critique avait su percevoir tout le potentiel décoratif de l'art de Munch; Franz Servaes constatait que l'artiste avait conservé un «instinct barbare», avec quelque chose d'enfantin et de mystique à la fois. L'historien de l'art allemand Richard Muther fut frappé par l'harmonieuse répartition des couleurs et par le talent qu'avait Munch pour créer un effet de monumentalité, même dans les petits formats.

Pendant toute la période entre 1901 et 1913, les œuvres de Munch furent régulièrement exposées à Vienne, ce qui explique la profonde influence qu'elles y exercèrent sur l'évolution du nouveau mouvement qu'on a appelé l'expressionnisme viennois. Cette influence est particulièrement manifeste chez Richard Gerstel qui mourut très jeune, dans les toiles profondément introverties et tourmentées d'Egon Schiele ainsi que chez Oskar Kokoschka, le plus talentueux peut-être du groupe; celui-ci devait écrire en 1952 un long article sur Munch, au ton très personnel, où il exprime toute sa gratitude et toute son admiration.

L'année 1904 fut également très bonne pour Munch en ce qui concernait son œuvre gravé: dès janvier-février il réalisa la vente sensationnelle de 800 gravures lors de l'exposition organisée par la «Gesellschaft Hamburgischer Kunstfreunde» sous l'égide de Gustav Schiefler, dont l'enthousiasme pour Munch explique sans doute ce véritable raz-de-marée. Ce grand amateur d'art, qui avait établi notamment le catalogue de l'œuvre graphique de Max Liebermann, entreprit la même tâche pour les gravures de Munch, qui se trouvaient dispersées chez différents marchands ou graveurs. Voyant tout le mal qu'il avait à retrouver leurs traces

313

314

et par un souci d'ordre inhérent à sa profession d'homme de loi, Schiefler conseilla vivement à Munch de signer avec Paul Cassirer un contrat
assurant à ce dernier l'exclusivité de la vente de ses œuvres graphiques.
Ce même souci de regroupement, associé au désir d'améliorer l'organisation des expositions, explique l'année suivante la signature, avec la galerie Commeter de Hambourg, d'un contrat similaire pour les peintures.
Les sérieuses difficultés financières que connaissait Munch à cette époque n'ont sans doute pas été étrangères à ces décisions. De fait, les 1500
marks que Cassirer lui versa à titre d'avance permirent d'éviter la vente
par adjudication de sa maison d'Åsgårdstrand et les 3000 marks payés
par Commeter l'année suivante représentèrent exactement la somme sur
laquelle il avait compté pour la *Frise Linde* et dont il avait déjà disposé
quand celle-ci fut refusée. Dès le départ, Max Linde n'avait pas été favorable à ces contrats et Albert Kollmann non plus, qui avait fortement
déconseillé à Munch de les signer; très vite d'ailleurs ils posèrent de tels
problèmes que Munch en perdit l'envie de travailler. Ils stipulaient que
l'artiste devait payer une commission sur tous les tableaux vendus en Allemagne et en Autriche, y compris ceux qu'il négociait lui-même ou,
comme c'était le cas le plus souvent, par l'intermédiaire de Kollmann.
De plus en plus, Munch se sentait dans la main des marchands de ta-

313 NOEL DANS LE BORDEL.
1904/05

314 LE DEPART DU CERCUEIL II.
1904/05

315

315 FRIEDRICH NIETZSCHE.
1906/07

bleaux. Il avait espéré que Commeter pourrait lui organiser une exposition à Paris mais celui-ci ne parvint jamais à réaliser ce projet. Pendant la durée du contrat, il vendit très peu de tableaux et la quasi totalité des maigres recettes fut absorbée par les frais d'administration, de transport et d'encadrement, tant et si bien que quand il demandait à Munch de lui envoyer des toiles pour les expositions qu'il organisait, celui-ci hésitait à le faire car il vendait beaucoup mieux lui-même ou par l'intermédiaire de ses amis. Finalement en avril-mai 1907, Munch, grâce au docteur Linde, put résilier son contrat avec Cassirer et il retrouva aussitôt l'envie de peindre. Reprenant certaines toiles très colorées des années 1890, comme *Le cri, Vigne vierge rouge* et *Jeunes filles sur le pont,* il exécuta entre 1900 et 1907 de nombreux paysages où explosent véritablement les couleurs. On y retrouve encore des éléments Art Nouveau dans les formes et les surfaces mais ils sont moins systématiquement organisés sur la toile et laissent apparaître ce que les contemporains appelèrent une «cacophonie». Après 1907, alors que dans les huiles sa palette se resserre, la couleur au contraire est comme libérée au profit d'une légèreté et d'une luminosité encore jamais atteintes dans les aquarelles où l'on peut déceler l'influence de Matisse, de Cézanne et peut-être aussi celle de Rodin.

L'été 1905 à Åsgårdstrand fut pour Munch une période difficile. Il buvait beaucoup et le ton montait souvent dans les discussions à propos de la guerre qu'on estimait imminente contre la Suède. Ayant fait des avances un peu trop précises à une femme et s'étant battu avec Ludvig Karsten, le seul peintre qui pouvait être considéré comme son élève, il se brouilla définitivement avec celui-ci et s'enfuit précipitamment à Taarbæk près de Copenhague. Le bruit ayant couru en Norvège qu'il avait fui pour échapper à la mobilisation, Munch trouva cette accusation tellement infâmante qu'il ne remit plus les pieds dans son pays pendant quatre ans. A Taarbæk, le grand collectionneur suédois Ernest Thiel lui proposa de faire un portrait de Friedrich Nietzsche. Cette commande ainsi que d'autres achats ultérieurs de ce mécène mirent pour longtemps Munch à l'abri des problèmes financiers. Il fut invité également à faire le portrait du magnat de l'industrie Herbert Esche et de sa famille, à Chemnitz. Mais si les perspectives à long terme étaient satisfaisantes, le quotidien restait souvent difficile à Taarbæk. Aussi, par manque d'argent, décida-t-il de partir pour Chemnitz où, à une vitesse ahurissante, il brossa un portrait étonnant, presque visionnaire des enfants Esche. Dans un autre, qui représente Madame Esche avec l'un de ses enfants, il écrase la couleur directement du tube sur la toile avec une vigueur et une intensité surprenantes. La maison de Herbert Esche, dont van de Velde était l'architecte, avait un décor intérieur très dépouillé qui mettait admirablement en valeur l'éclatant coloris et l'expressivité de ces portraits.

316

317

317 MADAME ESCHE ET L'UN DE
SES ENFANTS. 1905

316 LES ENFANTS DE HERBERT
ESCHE. 1905

Pendant toute cette période affluent des commandes de portraits que l'artiste ne parviendra pas toujours à satisfaire. A Noël 1904, il avait peint, dans des harmonies de jaunes et de bleus, un *Autoportrait aux pinceaux* où il se représente comme un majestueux «peintre de Cour», prêt à se mettre au travail. La solide construction de l'arrière-plan avec ses sections nettement délimitées et son intense coloris bleu dénotent la foi de l'artiste en ses propres forces et sa propre vitalité. Ce ne sera toutefois pas avant l'été 1905, dans son vigoureux portrait du peintre Ludvig Karsten, que Munch découvrira la formule définitive qui rendra parfaitement le dynamisme de l'homme d'action moderne. Le portrait de cet ami peut être considéré comme le véritable point de départ des portraits en pied de grandes personnalités comme le ministre Walther Rathenau, l'amateur d'art Harry Graf Kessler, ou le financier et collectionneur Ernest Thiel. Ces hommes sont toujours représentés solidement

318

319

318 WALTHER RATHENAU. 1907
319 HARRY GRAF KESSLER. 1906
320 LUDVIG KARSTEN. 1905

320

321

322

campés, isolés contre le décor nu. Pour relier de façon dynamique et vivante le sujet à l'arrière-plan souvent violemment éclairé sur lequel il se détache, Munch peut selon les cas projeter son ombre en diagonale, entourer son personnage de lignes en auréole, ou encore juxtaposer des couleurs très vives, mais toujours pures et brillantes. Il peint souvent deux versions du même portrait qui, au fur et à mesure qu'elles prennent forme, semblent venir s'étayer l'une l'autre. C'est notamment le cas pour les portraits de Rathenau, de Graf Kessler et de la sœur de Nietzsche, Elisabeth Förster-Nietzsche. On peut penser que ces nombreuses commandes représentèrent pour Munch une tâche véritablement épuisante.

Dans l'*Autoportrait au vin,* Munch se dépeint aussi mélancolique et passif qu'il était sûr de lui dans l'*Autoportrait aux pinceaux.* Toute son attitude, ses mains inertes et son expression résignée montrent qu'il est à bout de forces. Les murs de la petite pièce semblent se resserrer sur

321 AUTOPORTRAIT AU VIN. 1906
322 AUTOPORTRAIT AUX
     PINCEAUX. 1904

207

323

324

324 DESIR. 1906/07

323 TROIS FEMMES SUR LA PLAGE. 1906/07

lui, ce qui crée une impression de malaise que viennent encore renforcer les violents contrastes de rouge et de vert derrière sa tête. On peut
voir d'ailleurs dans ces touches de couleurs totalement indépendantes
du reste de la composition les premiers signes d'une tendance à l'abstraction qui ne s'épanouira que plus tard avec Kandinsky.

Pour lutter contre son alcoolisme et ses troubles nerveux, Munch fit
un certain nombre de séjours à Kösen dans différentes cliniques. C'est là
que nous le retrouvons en 1906, attelé à une grande frise pour le nouveau théâtre de Max Reinhardt à Berlin. Il y reprend les principaux thèmes amoureux de *La frise de la vie* et la plage d'Åsgårdstrand y revient
comme un leitmotiv. Le ton élégiaque et les teintes douces qui se fondent dans la toile forment un contraste absolu avec les empâtements colorés des autres œuvres de la même époque. Le foyer du théâtre ayant
dû être réaménagé, la frise ne fut mise en place qu'en 1907 et il est probable que Munch dut l'adapter à une autre pièce que celle à laquelle elle
était primitivement destinée.

A peu près à la même époque, en 1906, il travailla également pour

325

325 DECOR POUR UNE SCENE DE
«HEDDA GABLER». 1906

Les revenants d'Ibsen à un projet de décor sur lequel Max Reinhardt s'appuya beaucoup pour sa mise en scène. La première eut lieu en septembre et fut un très grand succès. Max Reinhardt, très satisfait de la contribution de Munch — dont les projets dessinés étaient exposés dans le foyer — lui commanda de nouveaux décors, cette fois pour *Hedda Gabler.*

C'est à peu près à ce moment qu'Emil Nolde et de jeunes artistes de «Die Brücke», comme Karl Schmidt-Rottluff et Ludwig Kirchner, commencent à s'intéresser à Munch et l'invitent à plusieurs reprises, quoique sans succès, à prendre part à leurs expositions. Son influence n'est encore visible que dans leurs gravures; elle ne se fera véritablement sentir dans leurs toiles qu'après 1908 — 1909 quand ils auront assimilé l'apport de Cézanne et de Matisse. Elle est par contre déjà perceptible chez des artistes plus indépendants, comme August Macke dans ses projets de mise en scène et ses portraits ou le jeune Max Beckmann dont la pa-

210

326

renté avec Munch est soulignée par la critique dès son exposition chez Cassirer en janvier 1907. Outre des sujets inspirés de Munch, comme *Petite scène de mort,* Beckmann y exposait des toiles dynamiques représentant des figures au bain, ce qui semble avoir encouragé Munch à reprendre ce sujet dans les études et projets décoratifs qu'il exécuta dans un établissement de bains à Berlin.

A l'exposition qui suivit celle de Beckmann chez Cassirer, une salle entière était consacrée à Munch; on put y voir pour la première fois le portrait de Friedrich Nietzsche dont le formalisme nous surprend mais s'explique en partie par le fait que Munch n'avait pu travailler d'après le modèle vivant (le philosophe était mort en 1900) mais seulement à partir d'autres portraits ou de photographies. Figuraient également à l'exposition quelques-unes de ses plus grandes réussites en matière de portraits: de grandes effigies en pied de personnalités comme Graf Kessler ou le professeur Felix Auerbach. La plupart des tableaux étaient toute-

211

327

fois des paysages, très colorés et de facture très diversifiée, que Munch avait peints au cours des deux années précédentes. Mais l'œuvre la plus intéressante était peut-être *Nature morte* qui évoquait le coup de feu d'Åsgårdstrand en 1902. Munch dira plus tard:

«J'ai peint une nature morte aussi bonne que n'importe quel Cézanne, avec la seule différence que dans le fond du tableau j'ai placé une meurtrière et sa victime.»

Bien qu'il ait utilisé un modèle, il a de toute évidence donné à la femme les traits de Tulla Larsen. Un peu plus tard il devait reprendre le même sujet dans un format monumental où contrairement à ceux de *Nature morte,* les deux personnages sont représentés nus.

    L'homme est étendu sur un lit qui se projette obliquement dans l'espace pictural et la perspective brutalement raccourcie crée une agressive

327 NATURE MORTE (LA MEURTRIERE). 1906

212

328

diagonale. La femme est debout, de face, aussi immobile qu'une statue
de sel. En même temps qu'une haine implacable, s'exprime un désir
désespéré de contact. Tous les éléments du tableau peuvent être retrou-
vés à travers les bribes du roman qu'avait écrit Munch après ce dramatique épisode. Ainsi sur la table est posé, à côté de l'un de ses magnifiques
chapeaux, le plateau de fruits que Tulla était en train de servir quand le
coup partit. Les empâtements de certaines parties, et tout particulièrement de la table à la nature morte au premier plan sur la droite, semblent directement inspirés du Matisse du Salon fauve de 1905, où il était

328 LA MORT DE MARAT. 1907

213

329

330

329 «LE PENSEUR» DANS LE
    JARDIN DU DOCTEUR LINDE.
    1907
330 LUBEKERHAFEN. 1907

apparu en précurseur. Et l'on peut voir dans les longues traînées de pinceau qui entourent la scène et lui confèrent une atmosphère très spéciale, la traduction des réactions de l'artiste à ce qu'il peint. Par la suite Munch devait intituler les différentes variations qu'il fit sur ce thème *La mort de Marat* ou *La meurtrière*.

Deux des toiles peintes à Lübeck au cours de ce même printemps montrent plus explicitement encore à quel point Munch avait assimilé l'influence du jeune mouvement français fauve. Dans *Am Holstentor* et *Lübeckerhafen,* les traits larges, sommairement brossés et vivement colorés rappellent indéniablement des toiles comme le *Remorqueur à Chatou* de Vlaminck et *The pool of London* de Derain, lui-même très influencé par Cézanne. Mais Munch est toujours à la recherche de nouveaux moyens d'expression, comme on peut le voir dans *Le penseur de Rodin* qu'il peint dans le jardin du docteur Linde. Sur un fond cinglé de larges coups de brosse et couvert de l'entrecroisement d'épaisses lignes verticales et horizontales se détachent le vert de la sculpture et les taches de couleurs vives représentant le docteur Linde et sa famille.

Cette explosion créatrice du printemps et de l'été 1907 s'explique en partie par le fait que Munch, dès mars-avril, avait retrouvé une entière liberté: le contrat avec Cassirer venait d'arriver à expiration et il était également parvenu à se dégager de celui qui le liait à Commeter.

214

331

331 AM HOLSTENTOR. 1907.

332

332 HOMMES AU BAIN. 1907

NOUVELLES RECHERCHES — WARNEMÜNDE 1907 — 1908

Pendant l'été 1907, Munch alla s'installer au bord de la Baltique à Warnemünde, un petit port de pêche doublé d'une station balnéaire, où il poursuivit ses recherches dans différentes voies. Très vite il alla planter son chevalet sur une plage de naturistes et c'est là qu'il peignit *Hommes au bain* dans lequel il s'est pris lui-même comme modèle aux côtés des maîtres-nageurs. Dans cette immense toile couverte d'un réseau de touches diagonales, l'impression de vitalité découle de l'utilisation de la pâte colorée comme d'un véritable matériau de construction. Le contraste entre les lignes horizontales de la plage ou de l'eau et la sculpturale verticalité des hommes qui s'avancent entraîne un puissant effet de monumentalité, qui indique que cette toile était peut-être l'étude préparatoire d'une décoration murale destinée à la nouvelle université de Jena, dont Munch espérait recevoir la commande; mais on lui préféra une œuvre d'un «vitalisme» plus généralement accepté, à savoir un panneau à l'inspiration héroïque, de Ferdinand Hodler. Cette apothéose si révélatrice — au sens propre — de la virilité avait paru tellement choquante aux contemporains que la galerie Clemati à Hambourg refusa de l'exposer à l'automne par crainte de plaintes à la police. L'année suivante Munch compléta sa composition par deux panneaux latéraux de chaque côté du tableau central: *Enfants* et *Adolescents* sur un côté et deux âges de la vieillesse sur l'autre. Mais le projet ne fut jamais entièrement réalisé. Munch vendit en 1911 au musée Ateneum d'Helsingfors le panneau central qui montrait l'homme «dans toute sa vigueur», mais la réplique qu'il en fit, quoique identique, n'a pas les résonances angoissées de l'original.

A Warnemünde cet été-là, Munch aborde également des sujets plus réalistes ressortissant presque à la peinture de genre, où l'on retrouve parfois les empâtements et la spontanéité des premières toiles fauves de Matisse. Mais ils n'en ont pas l'élégance décorative, Munch s'avançant

333

333 MUNCH SUR LA PLAGE A WARNEMUNDE. 1907

334

334 FEMMES ET ENFANTS A
     WARNEMUNDE. 1907/08

335 VIEIL HOMME A
     WARNEMUNDE. 1907

335

336

337

336 NU A LA FENETRE. 1907/09
337 MODELE EN PEIGNOIR. 1906/07

338 FEMME EN PLEURS. 1906/07

toujours plus avant sur la voie de l'expressionnisme. Les couleurs sont souvent appliquées en couche épaisse directement du tube sur la toile, ce qui lui confère, comme dans *Vieil homme à Warnemünde* par exemple, un caractère très nerveux mais d'une grande puissance. Il s'essaie également à cette technique dans une série baptisée *La chambre verte* qui est comme la nouvelle formulation, pessimiste et désabusée, des thèmes amoureux de la première *Frise de la vie;* il est d'ailleurs très révélateur que la plage d'Åsgårdstrand y soit remplacée par un intérieur de bordel. Munch reprend en partie le thème de sa liaison avec Tulla Lar-

220

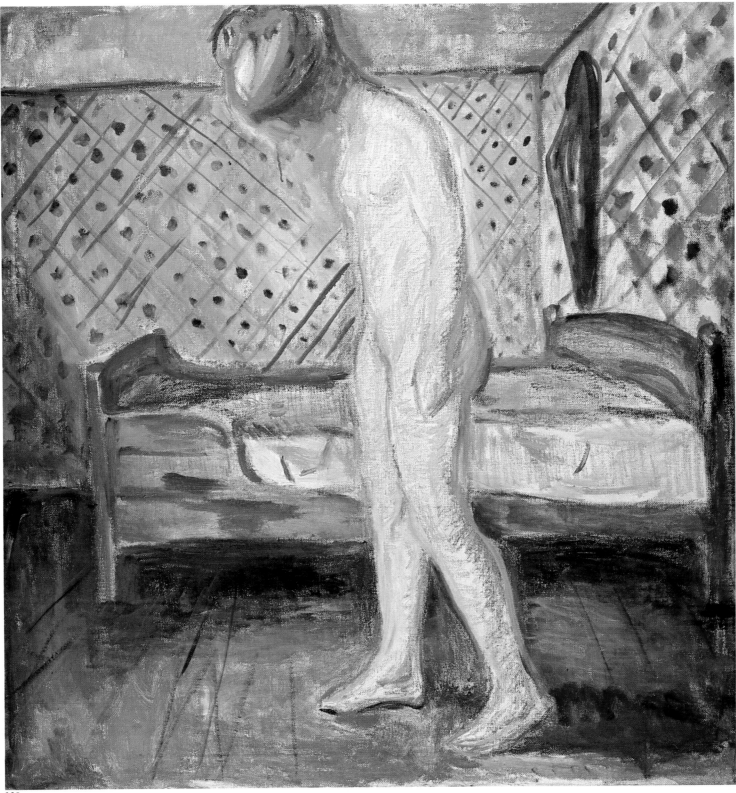

338

339

339 ZUM SÜSSEN MÄDEL. 1907

sen dont les traits se retrouvent sur presque toutes les figures de femme. Le fait d'utiliser ainsi l'œuvre d'art pour exprimer ouvertement un sentiment d'amertume et de répugnance, sans clin d'œil moralisateur, est ici l'annonce d'une peinture entièrement nouvelle, une sorte de «bad painting» qui ne sera reconnue et acceptée qu'à notre époque.

Dans cinq des tableaux de cette série: *Zum süssen Mädel, Désir, Haine, Jalousie* et *La meurtrière,* l'action se situe dans la même pièce, étroit espace scénique en forme de boîte et tapissé de vert, avec une porte sur la partie droite du mur du fond. Le sujet étant vu de très près, cette pièce lugubre se trouve considérablement élargie, comme si elle était vue à travers un objectif à grand angle. Les oppositions de rouge et de vert, ainsi que les traînées diffuses de la brosse, y suggèrent l'inquiétude et la tension plus qu'elles ne définissent les objets. Dans *Zum süssen Mädel* et

222

340

dans *Désir,* nous voyons comment la table circulaire est utilisée pour créer un espace pictural: dans *Désir* elle semble pousser l'un vers l'autre l'homme et la femme assis sur le sofa. La femme reste indifférente au désir de son compagnon, ses yeux grand ouverts ne voulant voir que la bouteille posée sur la table nue; les acteurs de *Zum süssen Mädel* eux aussi n'ont d'yeux que pour la bouteille. Cette représentation de la solitude, qui apparaît comme le thème fondamental de toute la série, semble plus agressive et plus désespérée que jamais.

En octobre 1907, Munch expose de nouveau chez Cassirer, cette fois-ci en compagnie de Cézanne et de Matisse. Peut-être le directeur de la galerie cherchait-il là encore à mettre ainsi mutuellement en valeur plusieurs artistes qui présentaient d'intéressants traits communs. Contrairement aux deux maîtres français, Munch fut relativement bien traité

340 DESIR. 1907

223

341 HAINE. 1907

341

par la critique. Dans le *Berliner Zeitung,* Georg Herrmann souligne la vigueur inhabituelle de son art et estime que, s'il est sauvage et inculte, il reste en unisson avec la nature elle-même. Le *Berliner Börsen-Courier* affirme pour sa part: «C'est à partir de là que se développera la peinture des décennies à venir.» Après cette exposition, Munch se remet une fois encore à la recherche d'un style nouveau, entièrement personnel. C'est, dit-il, une dernière tentative pour trouver une forme expressive conforme aux exigences du nouveau siècle, «pour briser la surface et la ligne». Il écrit:

«J'ai peint un certain nombre de toiles... avec des lignes ou des traits particulièrement larges et souvent longs d'un mètre, dans le sens vertical, horizontal ou diagonal — La surface se trouvait brisée et apparaissait alors une sorte de pré-cubisme — Il s'agit de la série Amour et Psyché, Consolation *et* Meurtre *— »*

Consolation reprend directement le sujet d'un dessin et d'une eau-forte du milieu des années 1890. Dans l'estampe, l'homme et la femme sont

342 JALOUSIE. 1907

224

342

343

343 CONSOLATION. 1907

assis dans une pièce aux murs recouverts d'une tapisserie à dessins, assez semblable à celle de *La chambre verte.* L'atmosphère est douloureuse; il essaie de la consoler mais rien ne semble pouvoir soulager l'immense désespoir qui l'accable. En dépit du caractère du sujet, il y a dans la toile des harmoniques presque lyriques dues peut-être au fait que cette nouvelle technique, toute en larges traits, n'est pas ressentie ici comme aussi agressive que dans les autres tableaux de cette période.

344

On a souvent voulu voir dans *Amour et Psyché* une espèce de récon-
ciliation entre l'homme et la femme mais une analyse plus précise montre au contraire comment Munch se sert de la lumière pour les séparer.
Elle se tient isolée, absorbée en elle-même, baignée par les rayons du soleil. Lui au contraire reste dans l'ombre, s'effaçant presque dans le contre-jour. Dans le récit d'Apuleius, Amour abandonne Psyché au lever du
soleil, après qu'elle a rompu sa promesse de ne pas le regarder. L'écriture

344 AMOUR ET PSYCHE 1907

227

brutale, presque inarticulée de certaines parties du tableau, notamment le dos de la figure d'Amour, peut indiquer que la réaction de l'artiste à son sujet s'est exprimée à travers l'acte de peindre comme s'il accomplissait quelque ancien rituel très ancien et primitif.

Exécuté dans cette même nouvelle manière, *La mort de Marat (La meurtrière* ou *Meurtre)* devient l'un des chefs-d'oeuvre les plus intéressants de cette période. L'homme allongé sur un lit, parallèlement à la surface picturale, laisse pendre sa main ensanglantée, tandis que la femme se dresse debout, les bras pendant le long du corps et dans une attitude entièrement frontale. La composition repose sur le jeu bien équilibré des lignes horizontales et verticales, celles des deux corps, de la pièce, ainsi que du travail de la brosse que seule vient rompre la diagonale formée par le bras de l'homme étendu. Dans cette solide architecture, Munch introduit une scène d'un érotisme exacerbé, dont le coloris extraordinairement primitif et spontané trahit les sentiments réactionnels de l'artiste à l'égard de son sujet.

De toutes celles qu'il envoya au Salon des Indépendants de Paris en mars 1908, cette toile était sa préférée. Il la considérait comme une œuvre trop purement expérimentale pour qu'on puisse l'exposer ailleurs qu'à ce Salon et il fut englobé, avec Braque, Derain et Rouault, dans ce que la critique appela «tout ce bataillon de fumistes». Munch n'avait peut-être pas entièrement tort, même si cela peut surprendre au premier abord, quand il affirmait que cette version de *La mort de Marat* était conforme aux tendances les plus récentes de l'art français, autrement dit le cubisme.

Il convient toutefois de rappeler qu'au moment même où Munch travaille à sa *Mort de Marat II (La meurtrière)*, Picasso peint à Paris *Les demoiselles d'Avignon* qui, bien qu'inspirée de l'art primitif et des recherches cubistes, n'en reste pas moins une scène de bordel brutale et choquante pour le public bourgeois. Avec le même point de départ — l'art de Cézanne — l'un et l'autre ont ainsi abouti à un résultat radicalement différent.

Si l'on ne peut affirmer avec certitude que les deux artistes se connaissaient à cette époque, il est cependant probable que Picasso avait découvert les œuvres de Munch dès le début du siècle et des toiles comme *La danse de la vie, La mère morte et l'enfant, Le baiser* et *Consolation* semblent avoir très tôt trouvé un écho dans ses œuvres des périodes bleue et rose. A un moment Ludvig Karsten, le seul «élève» norvégien de Munch, s'était trouvé entretenir avec Picasso des contacts étroits et il est donc possible que par cet intermédiaire celui-ci ait pu suivre d'assez près au tout début du siècle l'évolution de Munch vers un plus grand primitivisme.

L'intense processus de simplification qui trouve son aboutissement

345 LA MORT DE MARAT. 1907

346 LES SŒURS MEISZNER. 1907

346

dans *La mort de Marat (La meurtrière)* était engagé depuis longtemps dans ses estampes et surtout dans ses bois gravés. Dès 1903, Gustav Kühl avait souligné dans le *Sosialistische Monatshefte* que si l'on comparait les deux versions du *Baiser,* celle de l'eau-forte et celle du bois gravé, on constatait de l'une à l'autre une évolution qui était en fait une véritable révolution artistique, à savoir que par rapport à «l'étude» le travail achevé paraissait être une esquisse. Cet art de la simplification si particulier à Munch avait été analysé par Julius Meier-Graefe dans un compte rendu, pour *Die Zukunft,* de l'exposition sécessionniste de Berlin en 1906 : il y voyait un talent inné, à la différence de celui d'un Kandinsky chez qui cette réduction de la peinture à une série de traits lithographiques était le fruit d'une démarche purement volontaire. Pour des toiles comme *Consolation, Amour et Psyché* et *La mort de Marat (La meurtrière),* Munch semble s'être inspiré de ses bois gravés les plus primitifs et les plus audacieux, où la gouge creuse dans la planche de longues et grossières entailles.

C'est à cette époque qu'il entra personnellement en contact avec Emil Nolde et qu'il eut l'occasion de lui montrer, au «Neues Theater» de Max Reinhardt, sa frise de la plage qui avait déjà beaucoup impressionné Max Pechstein. Il lui fit également visiter son atelier et Nolde put ainsi découvrir le peintre norvégien sous un jour qu'aucun des autres artistes de «Die Brücke» n'avait pu connaître. Malgré des tempéraments très différents, Nolde fut peut-être celui des jeunes peintres allemands qui fut

230

347

le plus fortement influencé par Munch. Mais leurs personnalités étaient
trop opposées pour que puisse s'établir un vrai contact en profondeur.

Munch revint passer l'été 1908 à Warnemünde. C'est de cette époque que date une toile intitulée *Le maçon et le mécanicien* (ou *Le maçon
et le forgeron,* ou encore *Le maçon et le boulanger*). Nous y voyons deux
figures d'hommes, l'une claire et l'autre sombre, qui avancent côte à côte

231

348

à notre rencontre et sont de toute évidence les deux faces d'une seule et même personne. Dans *Le petit garçon noyé*, ces deux mêmes personnages au contraire s'enfoncent dans l'espace pictural. Jetées çà et là à titre expérimental, quelques touches y viennent rompre la solide unité de la composition, comme ce cheval à peine esquissé que l'on devine sur la gauche au premier plan. L'artiste aime également à jouer de la répartition des personnages entre groupes et figures isolées : l'effet en est particulièrement heureux dans *Enfants et canards* où les jeunes garçons s'agglutinent comme en une boule compacte, tandis que les petites filles effrayées restent plantées autour d'un arbre à l'arrière-plan. La figure solitaire à peine esquissée sur la droite a été rajoutée beaucoup plus tard. La peinture de Munch au cours de ce même été fait également une large place à la représentation des gens simples comme dans ces toiles qui montrent le retour des travailleurs à travers la lande de Warnemünde.

232

349

Dans *Le travailleur et l'enfant,* une petite fille en robe blanche court les bras tendus à la rencontre de son père. Mais aucune œuvre magistrale ne voit cependant le jour cet été-là à Warnemünde, la maladie nerveuse et l'alcoolisme de l'artiste s'aggravant de jour en jour.

Dès 1905, le docteur Linde avait conseillé à Munch de faire une longue cure de désintoxication pour se guérir d'une propension à boire qui ne pouvait que brider son épanouissement artistique; pendant les années qui suivirent, celui-ci devait donc effectuer de longs séjours dans différents lieux de cure, comme Bad Elgersburg en Thuringe, Bad Kösen et Bad Ilmenau en 1906 et de nouveau Bad Kösen à la fin de 1906 et au début de 1907. C'est pour cette raison également qu'il s'était rendu à Warnemünde et le premier été qu'il y passa lui fut d'ailleurs très bénéfique; mais quand il retourna à Berlin, son état empira: il lui arrivait de se quereller et de même se battre avec des clients dans les restaurants, il

349 ENFANTS ET CANARDS.
1905/08

233

350

351

se mit à écrire à ses anciens amis des lettres bizarres où il les accusait de le persécuter — c'est ce qu'il fit pour Christian Krohg qui en retour le menaça d'un procès — et toute sa conduite apparaissait de plus en plus étrange. Il se décrit lui-même ainsi :

«Quand j'errais la nuit dans les rues — ivre et désespéré — dans un état d'égarement — je suivais des femmes dans des maisons sinistres — A l'hô-

234

352

tel je ne me conduisais apparemment pas comme j'aurais dû avec les femmes de chambre et dans un café-dansant j'empoignai une fois assez brutalement une serveuse. Il m'arrivait des choses de ce genre — Tout n'allait pas comme il aurait fallu — je savais que j'agissais parfois dans une sorte d'inconscience — »

Son état s'aggrave encore pendant l'été 1908 à Warnemünde. Il se sent persécuté par la police et souffre d'hallucinations. Plus tard il se souviendra:

352 LE TRAVAILLEUR ET
L'ENFANT. 1908

353

354

353 AUTOPORTRAIT A LA
     CIGARETTE. 1908/09
354 AUTOPORTRAIT. 1909

«J'étais au bord de la folie — sur le point de basculer.»

Il a peur d'être interné dans un asile d'aliénés et s'enfuit presque de Warnemünde pour s'installer au Danemark, d'abord à Hornbæk où il espère retrouver son équilibre et, comme il l'écrit à Gustav Schiefler, «peut-être essayer une de ces prisons pour les aristocrates du crime — ce qu'on appelle une clinique neurologique.» Mais tout au contraire il se lance de nouveau à Copenhague dans une terrible beuverie qui va réveiller ses hallucinations et son délire de la persécution. Quand il commence à souffrir de paralysie dans une jambe, il accepte enfin d'être hospitalisé dans l'élégante clinique du docteur Jacobson, psychiatre qui s'était spécialisé dans le traitement des artistes scandinaves atteints de maladie nerveuse.

Il y resta huit mois; on le soignait par le repos, des bains chauds, une bonne nourriture et un traitement «à l'électricité» très en vogue à l'époque, qui n'avait rien de commun avec ce qui devait plus tard être l'électrochoc. Dans sa chambre, vite convertie en atelier, Munch s'adonnait au dessin, à la peinture et à la gravure. Il y exécuta notamment un remarquable autoportrait dans lequel il retrouve la manière de *La mort de Marat,* mais avec une plus grande maîtrise de la couleur, ainsi qu'un portrait en pied du docteur Jacobson très sûr de lui et même un peu ridicule dans l'exagération de sa pose.

236

356

356 «LE PROFESSEUR JACOBSON
TRAITE A L'ELECTRICITE LE
CELEBRE PEINTRE MUNCH..»
1908/09

355 LE PROFESSEUR DANIEL
JACOBSON. 1909

357

357 LE SOLEIL. Vers 1912

PAYSAGES NORVEGIENS ET COMMANDES NATIONALES

Pendant que Munch se soignait dans la clinique du docteur Jacobson, les hommages affluaient de toute part. Jens Thiis faisait preuve de courage et d'intuition en acquérant un grand nombre des œuvres maîtresses et encore très contestées des années 1890, pour la Galerie Nationale d'Oslo dont il venait d'être nommé directeur. Munch occupait désormais tout un mur dans ce lieu d'exposition, le plus prestigieux de Norvège. Son étoile montait également dans les autres pays scandinaves. Le musée Ateneum d'Helsingfors et le Musée national des beaux-arts de Copenhague achetaient ses toiles. A Stockholm il occupait déjà une position privilégiée dans le musée privé d'art moderne d'Ernest Thiel et bien que républicain convaincu, il fut très heureux de se voir promu chevalier de l'Ordre royal de Saint- Olav pour «services rendus à la cause de l'art». Comme il l'écrivit à son ami Jappe Nilssen, c'était «comme si mon pays me tendait la main». Mais ce qui le réjouit le plus fut le succès de ses deux expositions consécutives, l'une de gravures, l'autre de peintures, à la Galerie Blomqvist au printemps 1909. Il n'avait plus exposé à Christiania depuis 1904 et voici que se produisait cet évènement incroyable: il obtenait la faveur du grand public amateur d'art; son œuvre se vendait bien et cher.

De plus, ce même hiver à Christiania, étaient mis sur pied des projets qui fournissaient à Munch l'occasion de s'affirmer comme un artiste véritablement national. En décembre 1908, il avait définitivement été décidé de doter d'un décor monumental la nouvelle salle des fêtes qui devait être construite à l'Université pour le centenaire en 1911. Dans l'ivresse de la victoire que représentait la dissolution de l'union avec la Suède, ceci devenait une tâche d'envergure nationale.

En mai 1909, à sa sortie de clinique, Munch revient en Norvège et parcourt la côte sud à la recherche d'un lieu pour sa convalescence. Il loue dans le village de Kragerö une grande maison de bois, «Skrubben»,

358

358 VERS LA LUMIERE. Vers 1909

359

359 JAPPE NILSSEN. 1909

avec une jolie vue sur les îles et c'est là qu'il construit son premier grand atelier en plein air. Ignorant les conseils du docteur Jacobson, il se tient à l'écart de toute vie sociale et ne fréquente que de vieux amis comme Ludvig Ravensberg, Jappe Nilssen, Thorvald Stang et Christian Gierlöff; très vite il entreprend de les immortaliser dans de monumentaux portraits en pied qui par leur vigueur et leur richesse picturale sont des sommets de son œuvre de portraitiste.

Désormais c'est dans son propre domaine et dans la nature alentour que Munch va puiser son inspiration. Il disait autrefois que ses tableaux étaient «ses enfants»; il précise maintenant que ses paysages sont «ses enfants par la Nature». Ceux de Kragerö possèdent étrangement la simplicité, la pureté et la force des paysages de haute montagne. Quelques vieux arbres battus par le vent dressent, de loin en loin, leur formes sculpturales. On dirait que l'artiste a véritablement pris racine dans cette terre et y puise une nouvelle force. Cette rude nature et le peuple qui vit d'elle et en elle se fondent dans sa peinture en un tout fait de vitalité et de fierté simple. *Travaux de printemps dans les îles* montre ainsi comment la nature et l'homme sont des partenaires égaux au sein d'une réalité commune. Le paysan et sa femme qui cultivent leur lopin de terre ne font pratiquement plus qu'un avec l'austère paysage. Abandonnant les violents contrastes de couleurs, Munch joue maintenant de toutes les nuances de sa palette pour faire vibrer la lumière sur la toile. Mais une œuvre comme *La démolition du bateau,* avec sa solidité de composition et de texture, fait également penser à Cézanne, le grand maître de la modernité qui, plus que tout autre, avait fasciné Munch. D'autres tableaux de cette période s'imposent par leur caractère de magnificence et de monumentalité; ainsi cet *Hiver à Kragerö,* avec le pin qui se dresse massif et fier, est très proche de Cézanne. Dans *Cheval au galop,* élégance et vigueur du trait s'allient de façon jusqu'ici inhabituelle chez Munch pour suggérer la course folle du cheval. Faisant refluer les enfants sur les côtés du tableau, il fonce dans la neige, droit sur le spectateur. Le raccourci exagéré crée l'illusion du mouvement et la manière dont l'animal rejette violemment la tête sur le côté accentue encore l'impression qu'il ne peut être arrêté. Il n'est pas interdit de voir dans cette toile une sorte d'autoportrait métaphysique de l'artiste qui, abandonnant les rênes, donnerait ici libre cours à son énergie créatrice.

A Kragerö, un sujet qu'affectionnait particulièrement Munch c'était l'intérieur de la forêt avec les troncs massifs des pins, debout ou abattus: dans *Le tronc d'arbre jaune,* l'exagération de la perspective crée un effet dynamique qui se communique à toute la forêt et dans *Le bûcheron,* une toile où Munch se définit par rapport à Ferdinand Hodler, on croit presque entendre le bruit de l'arbre qui s'abat. A ces différents effets statiques et dynamiques on peut trouver des analogies non seulement dans

360

360 TRAVAUX DE PRINTEMPS DANS LES ILES. 1910

361

362

361 HIVER A KRAGERÖ. 1912

362 PAYSAGE D'HIVER. KRAGERÖ. 1910

363

363 CHEVAL AU GALOP. 1910/12

364 CHEVAL AU GALOP. 1910/12

364

365

367

366

366 HOMME EN NOIR ET HOMME
EN BLANC DANS LA NEIGE.
Vers 1911

365 LA DEMOLITION DU BATEAU.
Vers 1912

367 LE MEURTRIER. 1910

368

368 LA FORET. Esquisse. 1910/11

369

369 LE BUCHERON. 1913

le futurisme italien qui recherchait l'explosion du mouvement, mais aussi dans l'art cinématographique. La manière immédiate, quasi évidente, dont Munch transposait sur la toile l'image de la nature créa chez les peintres norvégiens contemporains un «complexe Munch». Aucun ne pouvait comme lui, d'un pinceau à la fois rapide et sûr et avec un minimum de moyens, «rendre» le modèle avec une telle authenticité.

Ce sont les paysages de Kragerö et les gens simples qui vivaient là

246

370

qui fourniront en grande partie la matière des fresques de la salle des fêtes de l'Université d'Oslo et notamment *Le soleil* sur le mur du fond, *L'Histoire* avec le vieillard aveugle et le jeune garçon au pied d'un chêne, ainsi que le paysage de l'autre grand panneau, *Alma Mater (Les chercheurs)* dans sa première version. Le très grand nombre d'études préparatoires pour *Le soleil* nous donne une idée du gigantesque travail qui précéda cette composition apparemment si spontanée. On pourrait presque

370 LE TRONC D'ARBRE JAUNE.
1911/12

247

dire que la puissance et l'énergie de l'astre lumineux revivaient dans le labeur de l'artiste avec sa brosse et ses couleurs. Pour créer cette impression de vitalité, Munch fait converger les yeux des spectateurs vers le soleil comme vers un point focal, tandis que dans un mouvement contraire le spectre jaillit dans une éclaboussure colorée. Il faut voir dans cette représentation le symbole de l'adoration de l'artiste pour la nature. Même s'il est naturel de rapprocher ce soleil de la rosace qui orne certaines des cathédrales du Moyen Age, il est probable que Munch s'est également inspiré d'un dessin de Goethe reproduit sur la couverture de la première édition de sa *Contribution à l'optique.* Lorsqu'il peint les études préparatoires à la fresque, Munch se passionne pour la lumière originelle et élabore les rudiments d'une philosophie théosophique de la lumière. La première version, intitulée *Vers la lumière,* comme la fresque définitive s'inspirent essentiellement des représentations parues dans la revue théosophique *Sphinx,* ce qui permet de penser que l'une et l'autre symbolisent en réalité l'union mystique avec la divinité. Derrière ce qui semble n'être que de simples représentations des phénomènes naturels, se cache en fait une réflexion sur la vie et sur l'éternité. Mais la force expressive de ces représentations ne saurait s'expliquer en termes purement philosophiques. Nous savons que Munch à cette époque s'intéressait particulièrement à la peinture de Ferdinand Hodler et ce n'est donc pas simple coïncidence si l'une des œuvres les plus proches du *Soleil* est justement la célèbre série de Hodler qui dépeint la lumière du matin sur le Lac Léman.

En 1910—1911, Munch se rapproche de Christiania en achetant la ferme de Nedre Ramme à Hvitsten, sur la rive est du fjord. S'il continue à peindre les rudes paysages d'hiver de la région de Kragerö, il préfère pour l'été ceux de Hvitsten, où la terre est généreuse et fertile et où abondent les troupeaux de volailles. Aussitôt il entreprend de peindre ce nouvel univers, les employés de la ferme, les dindons, les oies, les chevaux et les chiens; toute cette vie familière où hommes et bêtes sont partenaires les uns des autres et sont véritablement égaux au sein de la réalité plus large qui les englobe. Les baignades, le soleil, deviennent ses thèmes favoris. Sur les rochers et dans la crique en contrebas de sa maison, il peint toute une série de tableaux d'hommes ou de femmes nus dans le grand soleil. Dans ces œuvres de Hvitsten, l'expression s'allège, les couleurs se libèrent, nature et personnages semblent se fondre dans la lumière, comme dans *Plein été II* par exemple. Chaque été a sa propre tonalité: les scènes de baignade de 1915 sont peintes dans un rose fascinant qui rappelle beaucoup Renoir. Les paysages postérieurs à 1916, eux, sont souvent construits sur l'intrication complexe de fragments convexes et concaves. C'est probablement du jeune Franz Marc, qui avait lui-même été grand admirateur de Munch, que vient l'idée d'utili-

248

371

ser cette structure abstraite pour exprimer l'unité de l'homme et de la nature. La même formule est reprise et amplifiée dans *Vagues,* ainsi que dans *Vagues battant les rochers.* Les vagues et le sable d'*Homme au bain* jouent, avec la puissante musculature de l'homme, un jeu de reflets réciproques dans la lumière bleutée. Un certain nombre de toiles campagnardes, comme *Labour de printemps,* peuvent être également rappro-

371 PLEIN ETE II. 1915

372

373

372 VAGUES BATTANT LES
ROCHERS. Vers 1916
373 LA VAGUE. 1921

374 LABOUR DE PRINTEMPS. 1916

374

375

chées de Franz Marc et ses représentations d'animaux conçus comme faisant partie intégrante de leur environnement.

Comme si ses deux grandes propriétés ne lui suffisaient pas, sans parler de la petite maison de pêcheurs d'Åsgårdstrand qu'il avait conservée, Munch loue pour deux ans en 1913 le grand domaine de Grimsröd à Jelöya au large de Moss. Les nombreuses salles du bâtiment d'habitation sont aussitôt transformées en ateliers de peinture ou de gravure, ou encore en entrepôts pour les toiles. Munch se réserve pour lui-même deux ou trois petites pièces. Il aime toujours à représenter les petites scènes de la vie rustique et familière au milieu de ses bêtes et il écrit même à son ami Curt Glaser: «Plus je vieillis, moins je vois de différence entre l'homme et l'animal».

375 HOMME AU BAIN. 1918

251

376

376 TRAVAILLEURS DANS LA
NEIGE. 1913/14

L'œuvre capitale de cette période de Moss reste toutefois *Le retour des travailleurs:* en un flot que rien ne semble pouvoir arrêter, ces hommes avancent vers nous, graves et résolus, peuple inexorablement en marche vers un nouvel âge. «C'est maintenant l'ère des travailleurs» dit l'artiste lui-même. Mais cette toile est en même temps une étude du mouvement. Dans l'angle de vision comme dans la disproportion de la silhouette centrale au torse robuste et au visage luisant, se fait nettement sentir l'influence du cinéma, art du mouvement et de la distorsion.

252

377

Les dernières réticences à l'égard de Munch se trouvèrent définitivement balayées en Norvège lorsqu'en 1914 il se vit confier la décoration
de la salle des fêtes de l'Université où deux ans plus tard on put admirer
son *Soleil*. Mais cette commande officielle était l'épilogue d'un long

377 LE RETOUR DES
TRAVAILLEURS. 1913/15

253

378

379

378 BJÖRNSTJERNE BJÖRNSON
S'ADRESSANT A LA FOULE.
1908/09

379 BJÖRNSTJERNE BJÖRNSON
S'ADRESSANT A LA FOULE.
1908/09

combat. Si Munch comptait Jens Thiis, le directeur de la Galerie Nationale, au nombre de ses plus enthousiastes admirateurs, il s'était par contre heurté à une hostilité massive de la part des responsables de l'Université. C'est seulement après qu'il eût exposé la version aux dimensions exactes de *L'Histoire* à la Sécession de Berlin en 1910, puis fait circuler sur le Continent, où elles furent très bien accueillies, ses études préparatoires réduites au quart, que l'Université céda et autorisa un comité à financer le décor, que Munch devait réaliser entre 1914 et 1916. Mais, comme cela est fort compréhensible après tant d'années de travaux préliminaires, l'artiste s'était quelque peu lassé de son sujet.

Il avait d'abord envisagé une série de portraits d'écrivains et philosophes, avec Nietzsche, Socrate et Ibsen sur le panneau du fond, et les Norvégiens Björnson et Jonas Lie sur les côtés. Mais il opta finalement pour un décor symbolisant l'Université et exécuta différentes études allégoriques. Dans la première version de *L'Histoire* par exemple, le vieil homme sous le chêne est entouré de figures symbolisant l'astronomie et la géographie. Munch fit ainsi, dans ses carnets et sur la toile, une ample moisson d'idées qui sont venues nourrir la version définitive. Dans celle-ci il fallait voir avant tout le symbole des grandes forces de vie.

Au moment où il peignait ces fresques, Munch s'intéressait beaucoup aux artistes de la Renaissance de l'Italie du Nord et en particulier à Masaccio et à Giotto. Ceci apparaît de manière évidente dans

380

380 PREMIER PROJET POUR
L'HISTOIRE. 1909

L'Histoire où les personnages sont assis dans une anfractuosité du rocher comme si le paysage de Kragerö était interprété par l'un des premiers maîtres de la Renaissance. Le panneau destiné à faire pendant à *L'Histoire* et intitulé *Alma Mater* (ou *Les chercheurs*) fut celui qui posa à Munch le plus de problèmes tant iconographiques que structuraux. Il s'était inspiré du plus contesté et du plus célèbre des décors muraux réalisés également pour une université, celui de Puvis de Chavannes pour la Sorbonne. Il en peignit plusieurs différentes versions mais n'estima jamais avoir vraiment épuisé son sujet.

Même si, à l'époque de la Première Guerre Mondiale, Munch exposa très souvent à Christiania, il ne fit jamais vraiment école en Norvège, pas plus qu'il ne l'avait fait sur le Continent. Beaucoup voyaient cependant en lui le chef de file autour duquel les artistes d'avant-garde auraient pu se rassembler, mais lui-même n'aspira jamais à jouer ce rôle. Son œuvre était généralement considéré comme l'un des fondements de cet art moderne qu'il avait contribué à promouvoir avant même que la notion n'en fut très précise. «Expressionnisme» devint bientôt le terme générique pour désigner l'art moderne dans son ensemble et des mouvements aussi divers que le cubisme, le futurisme ou le groupe Der blaue Reiter ac-

255

381

381 L'HISTOIRE. 1910/11

382 PUBERTE. Vers 1914

cordaient tous la même importance à l'expression personnelle de l'artiste et préconisaient, à cette fin, la libération des formes et des couleurs.

A la célèbre exposition Sonderbund à Cologne en 1912, qui voulait
offrir un panorama des tendances les plus importantes de l'art moderne,
une salle entière était consacrée à Munch qui fut présenté comme le
peintre contemporain ayant le plus contribué à la naissance de cet art.
L'année suivante au Salon d'Automne de Berlin, Picasso et lui étaient les
seuls étrangers invités à exposer et se virent attribuer chacun une grande
salle, ceci afin de bien manifester leur importance capitale pour la jeune
peinture allemande. Mais alors que la peinture moderne allait évoluer
soit vers une liberté plus grande dans l'agencement d'une réalité éclatée,
pour ce qui est du cubisme ou du futurisme, soit vers l'abandon de toute
référence au monde tangible comme chez Kandinsky, dans l'art de
Munch au contraire, la réalité extérieure demeurera toujours un élément
fondamental. Il n'est donc pas étonnant, comme il l'écrit dans une lettre
à son ami Herbert Esche, qu'il ait eu le sentiment de travailler à contre-

256

382

383

384

385

383 ARBRES MOURANTS. Vers 1923
384 ARBRES MOURANTS. Vers 1923
385 HOFFSALLEEN. 1890

courant du style moderne. Mais s'il reste dès lors à la périphérie des nouvelles tendances qui dominent en Europe, il subit cependant leur influence. Des peintres comme Emil Nolde, Karl Schmidt-Rottluff, Ernst Ludwig Kirchner ou Kees van Dongen, qui fondaient encore leur art et trouvaient leur inspiration dans la nature, imprimèrent leur marque sur les œuvres de maturité de Munch; mais c'est surtout dans la littérature de l'époque que l'on trouve des parallèles à ses intentions artistiques. Comme Knut Hamsun dans *L'éveil de la glèbe,* il décrit le cycle des saisons, de l'été à l'automne, de l'hiver au printemps.

En 1916 il acheta près de Christiania la propriété d'Ekely avec ses champs, ses pommiers, ses buissons d'airelles et ses taillis. Elle donnait à l'ouest sur les rondes collines de Vestre Aker et au sud sur le fjord, tandis qu'à l'est, par les longues nuits d'hiver, on pouvait voir monter la lueur de la capitale. Jusqu'à la fin de sa vie, Munch devait peindre de nombreux paysages des environs d'Ekely, où la mort revient souvent telle un leitmotiv, comme dans *Arbres mourants,* œuvre de la solitude et du désespoir. *Le meurtrier dans l'allée* donne de la mort une représentation différente, plus expressionniste. Avec une audace très caractéristique,

386

Munch en quelques traits de pinceau esquisse un visage en surimpression sur un chemin déjà peint. Nous voyons ce chemin à travers le meurtrier, tandis que la victime n'est qu'une ombre à peine perceptible. La nature reste totalement indifférente à ce qui n'est qu'un incident au sein du grand drame universel.

Munch ne devait jamais abandonner l'idée de transformer sa *Frise de la vie* en un décor architectural fixe. Il avait déjà cette intention avant que la frise Reinhardt ne soit dispersée et vendue en 1913. Dans un pro-

386 LE MEURTRIER DANS L'ALLEE.
1919

259

387

387 PROJET DE BATIMENT
DECORE PAR LA FRISE DE LA
VIE. 1910

jet de lettre à Rasmus Meyer qui en 1909—1910 avait fait l'acquisition de plusieurs toiles maîtresses comme *Le sphinx (Les trois âges de la femme), Jalousie, Mélancolie (Jappe sur la plage)* et *Lit de mort*, il écrit:

«Ces tableaux sont en fait conçus pour constituer tout un grand décor mural — Il m'est revenu à l'esprit une idée que j'ai depuis longtemps, dessiner les plans d'un temple de l'art où ces tableaux formeraient une frise. J'avais pensé à un hall en rotonde — le style en serait inspiré des forêts de pins et d'épicéas.»

Munch dessina en effet plusieurs projets pour ce bâtiment; il fit également un projet très complet pour la présentation de sa Frise qui s'y détache sur un fond de forêt. Dans un petit livret intitulé *La frise de la vie,* il explique ses intentions:

«La moitié de ces toiles sont liées les unes aux autres de manière à pouvoir être rassemblées facilement en un seul long tableau. Dans les représentations de plage et d'arbres — les mêmes teintes reviennent sans cesse — c'est la nuit d'été qui harmonise le tout. Les arbres et la mer fournissent les lignes verticales et horizontales, que l'on retrouve dans tous les tableaux — la plage et les personnages donnent les ondulations et le mouvement de la vie — de vives couleurs font résonner les harmonies d'une toile à l'autre.»

Que Munch ait profondément désiré que la collectivité puisse profiter de son œuvre, cela ressort clairement de ses nombreuses tentatives pour obtenir de l'Etat que sa *Frise de la vie* décore un bâtiment officiel. C'est sans doute la raison pour laquelle en 1918 il en expose chez Blomqvist les différents éléments, anciens et récents, et fait insérer dans le catalogue un long article décrivant ses intentions. Il espérait probablement se donner ainsi des atouts supplémentaires pour l'obtention de cette commande officielle qui lui aurait permis d'insérer son œuvre dans un cadre architectural digne d'elle. C'est à l'Hôtel de Ville de Christiania, alors en projet, qu'il devait surtout penser. (Il avait déjà peint le portrait de Me Heyerdahl, l'avocat qui avait lancé le projet, et celui du futur architecte Arnstein Arneberg.) Les vastes ateliers en plein air qu'il avait fait construire en grand nombre dans sa propriété d'Ekely, comme ceux qu'il s'était ménagés auparavant à Kragerö et à Hvitsten, étaient à l'origine sans doute destinés à lui servir de lieu de travail pour de grands ouvrages décoratifs. Tout était prêt pour commencer la décoration de l'Hôtel de Ville, mais Munch ne devait jamais en recevoir la commande.

En 1912, il était revenu aux sujets traitant des relations entre les sexes. Dans une série de toiles très expressives, il se situe, lui et son modèle, dans sa petite maison d'Åsgårdstrand. Dans *Homme et femme II,* les

388

389

390

391

388 HOMME ET FEMME. 1912/15

389 SCENE EROTIQUE. Vers 1913

392 HOMME ET FEMME I. Vers 1912

392

diagonales des poutres du plafond deviennent des lignes agressives qui dilatent l'espace pictural. La figure de l'homme, volontairement rendue de façon diffuse et massive, contraste avec celle, nettement dessinée, de la femme. La profondeur et la richesse du coloris donnent encore plus de vigueur et de tension à la scène. Dans *Homme et femme I* apparaît pour la première fois une formule que l'artiste devait développer au cours des années suivantes et qui permet une sorte d'appréhension immédiate de l'espace: la pièce principale s'ouvre sur une autre située derrière elle et qui est généralement plus éclairée. Dans ces tableaux, l'artiste veut peindre sans fard ce que ressent l'homme vieillissant qui aime une femme plus jeune. Partant de sa situation personnelle, Munch parvient à rendre un sentiment universel. C'est toujours le thème de *La frise de la vie* que l'on retrouve ici sous une nouvelle forme.

Quelques années plus tard, Munch reprendra encore ce même genre de sujets avec cette fois pour cadre sa chambre à coucher à Ekely. Dans *L'artiste et son modèle I,* il nous peint sans complaisance deux personnages tournés vers nous et qui regardent fixement droit devant eux, elle en chemise et peignoir, les cheveux défaits, lui traditionnellement habillé, un foulard noué autour du cou. Il y a dans cette toile une atmosphère

262

393

d'intimité tout à fait inhabituelle chez Munch. Dans une autre toile de la même série, *Modèle près du fauteuil d'osier,* la femme est représentée seule; la chambre, surchargée d'objets, s'ouvre sur une seconde pièce. Le modèle pose nu devant le fauteuil, la tête baissée et les bras pendant mollement le long du corps. Tout en ayant l'air aimable et naturel, elle semble étrangement lointaine et inaccessible. La splendeur du coloris fait de cette toile l'un des chefs-d'œuvre de ces années de vieillesse.

393 HOMME ET FEMME II. Vers 1912

263

394

394 L'ARTISTE ET SON MODELE I.
1919/21

395 NU PRES DU FAUTEUIL EN
OSIER. 1919/21

En 1921 Munch reçoit la commande d'une fresque pour la cantine
de la chocolaterie Freia à Christiania; il reprend à cette fin plusieurs éléments de la frise qu'il avait composée en 1904 pour la chambre des fils
du docteur Linde à Lübeck et l'on peut voir dans les lourds empâtements de cette nouvelle réalisation comme une survivance de cette ancienne époque. C'est d'ailleurs à peu près au même moment qu'il retou-
che pour la troisième fois *Danse sur la plage,* qui était le motif central de
cette frise Linde.

Il est intéressant de noter que Munch, avant de se mettre à réfléchir
à son projet de fresque pour les «simples» ouvriers de la chocolaterie
Freia, écrit à sa tante pour lui demander de rechercher ses dessins d'enfant:

*«Laura me dit que tu as emballé les carnets d'esquisse et autres vieux des-
sins de mon enfance... J'en aurais besoin maintenant pour un certain travail.»*

264

395

396

396 NU AGENOUILLE. 1921
397 MODELE SE DESHABILLANT.
     Vers 1925

Munch souhaitait sans doute se replonger ainsi dans l'univers naïf de l'enfance pendant qu'il préparait ce décor destiné à des hommes qu'il considérait comme extrêmement simples.

Parmi les paysages si lourdement chargés d'émotion de la période d'Ekely, on trouve la série des mélancoliques nuits étoilées peintes pendant la première moitié des années 1920. Solide et systématique, la construction s'élabore à partir d'un jeu d'éléments sphériques. L'ombre qu'on distingue au premier plan — celle de l'artiste lui-même — exprime la solitude devant la mort. Munch reprend ce thème pour son projet d'illustration de la pièce d'Ibsen *John Gabriel Borkmann* où l'ombre re-

397

399

400

présente alors celle de Borkmann, sorti dans la neige pour mourir. Dans les autres «nuits étoilées» de cette même période, comme *Sur la véranda,* Munch utilise une silhouette de femme étrangement rigide et comme statufiée pour créer une atmosphère irrationnelle, presque onirique, dans laquelle on peut voir une certaine parenté avec le surréalisme.

398 NUIT D'ETOILES. 1923/24
399 LE PROMENEUR DE LA NUIT. 1923/24
400 LE PROMENEUR DE LA NUIT, ESQUISSE. 1923/24

269

401

Plusieurs des toiles peintes entre 1917 et 1925 reprennent le sujet de *La mort du bohème,* qui représente la fin de Hans Jæger en 1910. Munch, qui n'avait pas été présent lui-même, décrit la scène d'après le récit que lui en avait fait Jappe Nilssen. Quand Jæger avait appris qu'il n'en avait plus pour longtemps à vivre, il avait demandé à quitter l'hôpital pour aller mourir dans son misérable logis. Le propriétaire était furieux, mais, contrat en main, Jæger avait prouvé qu'il avait payé son loyer jusqu'à la fin du mois. Dans la version la plus grande, peinte en 1918 (et retouchée plus tard), on voit deux femmes, la consolatrice et la «pleureuse», tandis que les hommes semblent l'un et l'autre profondément absorbés en eux-mêmes — sous l'effet du chagrin ou peut-être bien celui de l'ivresse si l'on en juge par toutes les bouteilles vides. Ce tableau exprime l'inquiétude et la chaleur de la fièvre, en même temps qu'il décrit sans illusions la mort, qui survient en pleine lumière du jour et fenêtre ouverte sur la vie qui s'agite au dehors. La plénitude du coloris et son mouvement rythmique font de cette toile tardive une des œuvres majeures de l'artiste.

Munch avait commencé une autre toile inspirée de la bohème à l'époque où Birgitte Prestöe lui servait de modèle.

401 LA MORT DU BOHEME. 1917/18

270

402

«*Un soir de Noël*», raconte-t-elle, «*Munch me demanda de venir. Il était tout seul. Un sapin sans lumières et sans décorations était posé sur le sol. Il avait mis des fruits sur la table. Il me dit de me servir. Mais au moment où je tendais la main pour prendre une pomme, il s'écria: «Reste assise comme ça, exactement comme ça.» Il alla chercher son bloc et son crayon et se mit à dessiner. Ce fut le premier et modeste début du* Mariage du bohème.»

Munch exécuta un certain nombre d'esquisses et d'études pour ce sujet. La table au premier plan, qui porte les traces du repas de noces à peine

402 LE MARIAGE DU BOHEME.
1925

403

404

403 AUTOPORTRAIT. Vers 1926
404 BIRGITTE PRESTÖE. Vers 1930

terminé, fait penser à une nature morte de Cézanne. Son massif plateau repousse les personnages vers le fond de l'espace pictural, créant ainsi une tension qu'on retrouve dans certaines toiles surréalistes. La mariée assise au centre, très droite dans ses vêtements blancs, est entourée des hommes habillés de noir et tournés vers elle comme en adoration; on dirait une sorte de Christ féminin lors de la dernière Cène avec les apôtres.

La mort du bohème et *Le mariage du bohème* constituaient probablement les deux premiers volets d'une trilogie sur la vie des artistes à Christiania dans les années 1930. C'est en tout cas la raison qu'invoqua Munch pour refuser de vendre *Le mariage* au directeur de la galerie

405 MODELE ASSIS. 1925 – 26

272

405

406 VIEILLARD ET FEMME.
    Vers 1925
407 JALOUSIE. 1933/35

Kunsthaus de Zurich. Il veillait soigneusement en effet à ne pas se dé-
saisir de ses œuvres importantes au cas où il en aurait besoin pour ses
expositions ou pour servir de point de départ à d'autres tableaux; il voulait certainement aussi s'assurer par ce moyen que l'Etat norvégien cons-
truirait plus tard un musée pour abriter les œuvres qu'il lèguerait à la
postérité.

En 1927, il eut l'honneur de se voir consacrer deux grandes rétros-
pectives, l'une à la Galerie Nationale de Berlin dont les collections furent déplacées pour faire place à ses œuvres, l'autre ensuite à la Galerie
Nationale d'Oslo où l'exposition de Berlin fut présentée sous une forme
encore plus complète. Il était maintenant considéré et salué comme l'un
des phares de l'art moderne et à Berlin on vit une fois de plus s'affirmer
son importance pour la peinture spécifiquement allemande.

C'est Munch lui-même qui en 1933 prit l'initiative d'organiser à
Oslo une exposition d'art contemporain allemand. Les œuvres qu'il put
y voir, violemment colorées et d'une insistance presque vulgaire, le fascinèrent indubitablement. Il fut particulièrement intéressé, semble-t-il,
par les toiles les plus récentes de Schmidt-Rottluff, comme on peut le
constater par exemple dans sa dernière version de *Jalousie* où les couleurs flambent sous un éclairage très intense. Ces toutes nouvelles impressions ont laissé également une trace dans les reprises qu'il fait des
paysages inspirés de sa jeunesse à Åsgårdstrand. La version 1935 de *Da-*

274

408

mes sur l'embarcadère montre très clairement comment, sans jamais rien perdre de son authenticité, Munch assimile chaque nouveau développement de l'art contemporain. Au lendemain de l'exposition allemande, il peint plusieurs paysages audacieux et flamboyants. Jamais il n'a donné une telle impression de jeunesse. Dans *Maison rouge et sapins*, les couleurs d'un éclat d'aquarelle ont une force véritablement lyrique.

408 LES DAMES SUR
L'EMBARCADERE. Vers 1935

275

409

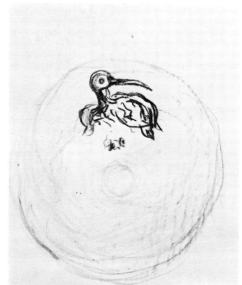

409 L'ARTISTE ET SON ŒIL
     MALADE. 1930/31
409a.L'ŒIL MALADE DE L'ARTISTE
410 LA RETINE DE L'ARTISTE.
     1930/31

410

En mai 1930, la rupture d'un vaisseau sanguin à l'œil droit entraîna une cécité presque totale chez l'artiste qui voyait déjà très mal de l'œil gauche. Il était hypertendu, s'était trop fatigué, et puis il vieillissait. Son ophtalmologiste, le docteur Ræder, lui ordonna le repos absolu. En août, quand son état se fut amélioré et qu'il se sentit relativement mieux, Munch reprit ses pinceaux et une fois encore puisa dans sa maladie la matière première de son art. Dans les études qui se succèdent, nous voyons comment l'artiste, avec la patience et la curiosité de l'homme de science, étudie les troubles visuels provoqués par la maladie. Il note minutieusement les conditions d'observation, le jour et l'heure, la distance de la feuille de papier et de la fenêtre, le type de lunettes etc. Les dessins sont souvent construits à partir des couleurs du spectre disposées en cercles concentriques, avec au milieu une partie effacée, comme par la cataracte. Certains ont un caractère presque abstrait et rayonnent de couleurs éblouissantes.

276

411

411 MAISON ROUGE ET SAPINS.
Vers 1927

Mais la maladie était venue rappeler à Munch la présence de la mort.
Dans plusieurs portraits on peut voir le professeur d'anatomie Johan
Schreiner, son ami en même temps que son médecin, disséquer un cadavre qui, dans une des versions tout au moins, a les propres traits de
l'artiste. Il se dégage ici un sentiment d'amère ironie: toute sa vie l'artiste
s'était «donné» à sa peinture et voici que sa dernière dépouille y était
maintenant sacrifiée. La boucle était fermée. Munch, parvenu à la vieillesse, osait regarder la mort en face.

412 NU ASSIS: AUTOPORTRAIT.
1933/34

412

413 MARAT ET CHARLOTTE
CORDAY. 1933/35

413

278

414

414 FEMME ET HOMME NU. CHARLOTTE CORDAY. 1933/35

415

417

416

415 AUTOPORTRAIT. 1940/44
416 ENTRE LE LIT ET L'HORLOGE.
   1940/42
417 AUTOPORTRAIT. 1940/44

Cette mort prochaine, elle va maintenant s'imposer dans les nouvelles variantes qu'il peint de ses anciens tableaux. Ainsi dans *La mort de Marat* ne se reflète plus la crise du début du siècle mais la situation présente de l'artiste; et le jeune modèle de *Femme et homme nu, Charlotte Corday* cache un couteau dans son bouquet de fleurs, le couteau qui va bientôt le frapper.

Cette confrontation du vieil homme avec la mort est en fait le véritable sujet de tous les autoportraits des dernières années. Dans *Nu assis:*

280

418

autoportrait comme dans l'*Autoportrait à 2h 1/4 du matin,* il se représente avec une impitoyable lucidité affalé sur son siège et le regard fixe.
On devine derrière lui l'ombre noire de la mort, qui l'a toujours poursui-
vi. Le corps affaibli, le crâne déjà squelettique, il regarde fixement vers la
lumière. Certes à travers les toiles de Munch les problèmes de la fin du
siècle parviennent encore à nous toucher, mais ce qui est plus important
encore c'est que cette œuvre de toute une vie nous révèle de l'existence
humaine quelque chose que les mots sont impuissants à exprimer. Jus-

418 «A DEUX HEURES UN QUART
DU MATIN». 1940/44

419

420

419 AUTOPORTRAIT. Vers 1940
420 AUTOPORTRAIT. 1940/44

qu'à ses derniers jours l'artiste scandinave, dans la lignée de Kierkegaard, aura approfondi la notion d'angoisse existentielle.

Ses toutes dernières années, Munch les consacra essentiellement à deux chefs-d'œuvre qui sont l'apothéose de son vieil âge. Dans l'*Autoportrait entre le lit et l'horloge,* il pose entre ces deux symboles de mort, défiant ainsi la vieillesse avec une ironique témérité. Figure solitaire dans le contre-jour, il se tient debout dans la pièce au milieu de ses œuvres qui furent toute sa vie. *L'Autoportrait à la fenêtre* est tout aussi cruel dans son introspection et l'approche de la mort semble en accroître encore la tension. De tous les autoportraits de cette dernière période c'est sans doute le plus impressionnant dans sa rudesse inhabituelle de coloris. Une solitude glacée, une obstination intraitable, c'est ce que révèle en dernier ressort ce visage rouge sombre qui se détache sur le fond neigeux du paysage derrière la fenêtre. Le radiateur même semble exhaler du froid. L'attitude est raide et austère; les coins de la bouche sont affaissés; mais de son regard aigu et énergique il défie la glace de la mort qui l'attend et qui, déjà, a recouvert le monde de son linceul.

421

421 AUTOPORTRAIT A LA FENETRE. Vers 1940

A

B

C

A Edvard Munch à l'âge de deux ans.
B Laura Cathrine Munch avec ses cinq
   enfants, 1869. Edvard en haut et à
   droite.
C Photographie sur sa carte d'accès à
   l'Exposition universelle d'Anvers en
   1885.
D A son chevalet. Åsgårdstrand 1889.
   Laura sur le pas de la porte, Inger près
   du portail.

D

NOTICE BIOGRA- PHIQUE

1863
Naissance le 12 décembre dans le domaine d'Engelhaug à Löten dans le Hedmark: fils de Christian Munch, médecin des armées, et de Laura Cathrine, née Bjölstad.

1864
Installation de la famille Munch à Christiania.

1868
Mort de sa mère; la sœur de celle-ci, Karen Bjölstad, devient la femme de la maison.

1877
Mort de sa sœur Sophie, à l'âge de 15 ans.

1879
Entrée à l'Ecole technique.

1880
Abandonne l'Ecole technique en novembre et décide de devenir peintre.

1881
Entrée à l'Ecole de dessin au mois d'août.

1882
Avec six autres peintres loue dans le bâtiment dit «Pultosten» sur la Place du Parlement un atelier où Christian Krohg vient corriger leurs travaux.

1883
Expose pour la première fois (Salon des Arts Décoratifs). Rend visite à l'académie en plein air de Frits Thaulow à Modum.

1884
Entre en contact avec Hans Jæger et le milieu de la bohème. Reçoit le legs Schäffer. Septembre à l'académie en plein air de Modum.

1885
Mai à Anvers où il participe à l'Exposition universelle; puis séjour à Paris. Commence à travailler à *L'enfant malade* qu'il terminera l'année suivante.

1886
Expose au Salon d'Automne 4 toiles dont *L'enfant malade* qui soulève une tempête de protestations.

1889
Première exposition personnelle en avril. Loue l'été une maison à Åsgårdstrand. Reçoit une bourse de l'Etat de 1 500 couronnes. En octobre à Paris où il s'inscrit comme élève chez Léon Bonnat. Mort de son père.

1890
Rentre en Norvège en mai. Eté à Åsgårdstrand et à Christiania. Deuxième bourse d'études. Repart pour la France en novembre.

1891
Nice et Paris. Eté en Norvège. Troisième renouvellement de sa bourse. Automne à Copenhague puis Paris. Reçoit la commande d'une vignette pour le recueil de poèmes d'Emanuel Goldstein, *Alruner*.

1892
Retour en Norvège fin mars. Expose à Christiania où il rencontre Willumsen qui expose en même temps que lui. Expose à Berlin, invité par l'Association des artistes berlinois. L'exposition est fermée au bout d'une semaine après un vote au sein de l'Association.

1893
A Berlin. Fréquente Richard Dehmel, August Strindberg, Holger Drachmann, Dagny Juel et Stanislaw Przybyszewski. Commence à travailler à *La frise de la vie*. Peint notamment *Le cri* et *Madone*.

1894
Premières eaux-fortes et premières lithographies gravées à Berlin. Exposition à Stockholm. Publication de la première monographie consacrée à Munch *Das Werk des Edvard Munch* dont les auteurs sont Przybyszewski, Servaes, Pastor et Meier-Graefe.

1895
A Berlin. Expose avec Axel Gallén-Kallela. Juin à Paris. Meier-Graefe édite une série de 8 eaux-fortes. Mort de son frère Andreas.

1896
Février à Paris. Expose au Salon des Indépendants et chez Bing au Salon de l'Art Nouveau. Fréquente Frederick Delius, William Molard, Meier-Graefe, Strindberg, Obstfelder, Mallarmé. Travaille à l'illustration des *Fleurs du mal* de Baudelaire. Lithographies en couleur et premiers bois gravés chez Clot.

1897
Expose au Salon des Indépendants. Juillet à Åsgårdstrand où il achète une maison. Expose en septembre dans les salles Diorama à Christiania.

1898
Mars à Berlin. Mai à Paris. Expose au Salon des Indépendants. Juin à Christiania. Rencontre Tulla Larsen. Illustrations pour le cahier de Quickborn consacré à Munch et Strindberg.

1899
Berlin, Paris, Nice, Florence et Rome. Automne et hiver au sanatorium de Kornhaug à Fåberg dans le Gudbrandsdal.

1900

Mars à Berlin, Florence, Rome, puis dans un sanatorium en Suisse. Peint *La danse de la vie*.

1902

Hiver et printemps à Berlin. Expose *La frise de la vie* à la Sécession de Berlin. Présenté au Dr. Max Linde qui écrit un livre sur lui. Eté à Åsgårdstrand. Se blesse d'un coup de revolver à la main gauche lors de la scène de rupture avec Tulla Larsen. Compose sur commande la *Série Linde*, 14 eaux-fortes et 2 lithographies représentant la famille du docteur ainsi que le jardin de sa maison. Gustav Schiefler entreprend le catalogue de ses œuvres graphiques.

1903

Berlin et Paris. Devenu membre de la Société des Artistes Indépendants il expose dorénavant au Salon. Rencontre Eva Mudocci. Peint le portrait des quatre fils du Dr. Linde.

1904

Berlin. Contrat avec Bruno Cassirer assurant à ce dernier l'exclusivité de la vente des gravures de Munch en Allemagne et avec Commeter à Hambourg pour celle des peintures. Expose 20 tableaux à la Sécession de Vienne. Mars et avril à Weimar. Eté à Åsgårdstrand. Peint sur commande pour la chambre des enfants du Dr. Linde une frise, que celui-ci d'ailleurs refusera.

1905

Immense succès de son exposition à Prague. Séjourne à Bad Elgersburg en Thuringe pour soigner ses troubles nerveux et son alcoolisme.

1906

Bad Ilmenau, Bad Kösen et Weimar où il est présenté à la Cour. Rencontre Henry van de Velde. Projet de décors pour *Les revenants* d'Ibsen au théâtre de Max Reinhardt.

1907

Hiver à Berlin. Frise destinée au foyer du théâtre de Max Reinhardt. Eté et automne à Warnemünde.

1908

Hiver à Berlin. Eté à Warnemünde. A Copenhague où à la suite d'une crise nerveuse il entre à la clinique du Dr. Jacobson. Est promu chevalier de l'Ordre royal de Saint-Olav.

1909

Hiver et printemps à la clinique du Dr. Jacobson où il exécute notamment la série de lithographies *Alfa et Oméga*. Rentre en Norvège en mai. S'installe à Kragerö. Commence à travailler à un décor mural pour la salle des fêtes de l'Université d'Oslo.

1910

Achète la propriété de Ramme près de Hvitsten. Continue ses travaux pour le décor mural destiné à l'Université.

1912

Une salle entière lui est consacrée à l'exposition Sonderbund à Cologne. Fait la connaissance de Curt Glaser.

1913

Loue le domaine de Grimsröd à Jelöya. Hommages et félicitations affluent à l'occasion de ses 50 ans.

1914

A Berlin et à Paris. Le 29 mai, après plusieurs années de conflits et de discussions, l'Université accepte enfin son projet de décoration murale pour la salle des fêtes.

1916

Achète la propriété d'Ekely à Sköyen près d'Oslo, où il s'installera pour le restant de sa vie. Le 10 septembre inauguration du décor de l'Université.

1917

Publication de la monographie de Curt Glaser.

1918

Publie le livret intitulé *La frise de la vie* à l'occasion d'une exposition chez Blomqvist à Oslo.

1919

Atteint de la grippe espagnole.

1920 — 21

Séjourne à Berlin et à Paris.

1922

A Berlin et à Zurich. Décoration murale dite *Frise Freia* pour la cantine de la chocolaterie Freia à Oslo.

1923

Membre de l'Académie allemande des beaux-arts.

1925

Membre d'honneur de l'Académie des beaux-arts de Bavière.

1926

Mai à Lübeck, Berlin, Venise, Munich et Wiesbaden. Octobre à Copenhague, Berlin et Paris.

1927

A Berlin, Munich, Rome, Florence et Dresde. Grande exposition rétrospective à Berlin et à Oslo.

1928

Commence à travailler pour la décoration de l'Hôtel de Ville d'Oslo.

1930 — 31

Maladie des yeux.

1933

Reçoit la Grand-croix de l'Ordre de Saint-Olav. Célébration de son 70e anniversaire.

1937

Les Nazis vendent 82 de ses œuvres qui figuraient dans les musées allemands.

1940

Occupation de la Norvège. Refuse tout contact avec les Nazis norvégiens.

1943

Célébration de ses 80 ans.

1944

Meurt paisiblement dans sa maison d'Ekely le
23 janvier. Lègue ses œuvres à la commune
d'Oslo

A Edvard Munch en 1894.
B Le sanatorium de Kornhaug dans le
   Gudbrandsdal en 1900.
C A son chevalet, Kragerö 1911.
D Devant *Le soleil,* Kragerö 1911.

A

B

C

D

A

B

C

A A l'Association des artistes en 1912.
B Dans sa salle de travail. Domaine de
   Grimsröd, Moss 1915.
C Avec son chien Boy. Domaine de
   Grimsröd, Moss 1915.
D Autoportrait. Ekely 1931/32.

D

E

F

G

E Dans son atelier d'hiver, 1938.
F Dans sa salle de travail. Ekely 1943.
G Ekely 1944.

TABLE DES CITATIONS

Si rien d'autre n'est indiqué, les lettres et brouillons de lettre cités se trouvent conservés au musée Munch.

p. 9, l. 9 : «phonographe»: *Livsfrisens tilblivelse,* Oslo 1929, p. 13.

p. 9, l. 11 : «Les aspirations de la bourgeoisie»: ms musée Munch. N 176.

p. 9, l. 12 : «. . . de jolis tableaux à accrocher . . .»: ms musée Munch. N 39.

p. 9, l. 14 : «ces bazars de la peinture»: ms musée Munch. T 2601-6.

p. 9, l. 19 : «la réaction contre le réalisme»: Entretiens avec Munch. Journal de Ludvig Ravensberg. 1er janvier 1910. Ms musée Munch.

p. 9, l. 20 : «que l'art était l'ouvrage de l'homme . . .»: id.

p. 9, l. 22 : «je suis un romantique»: id.

p. 9, l. 26 : «Il ne faudrait plus . . .»» *Livsfrisens tilblivelse,* Oslo 1929.

p. 10, l. 16 : «Je ne crois pas . . .»: ms musée Munch. N 29.

p. 10, l. 22 : «Un cri traversant la nature»: ms musée Munch. T 2760.

p. 12, cit. : Stanislaw Przybyszewski et al. *Das Werk des Edvard Munch,* Berlin 1894, p. 37.

p. 16, cit. 1 : Ms musée Munch. T 2761.

p. 16, cit. 2 : Transcription par Inger Munch d'une note d'Edvard Munch. Musée Munch.

p. 21, cit. 1 : ms musée Munch. (Publié dans *Edvard Munchs brev. Familien,* Oslo 1949, p. 89.)

p. 21, cit. 2 : Lettre d'E.M. à Inger Munch, non datée.

p. 21, cit. 3 : Lettre de Karen Bjølstad à E. M. 17.12.1913. (Publiée dans *Edvard Munchs brev: Familien,* Oslo 1949, no 307.)

p. 27, cit. 1 : Journal d'E.M. pour les années 1979 – 1882. Musée Munch. I 51.

p. 27, cit. 2 : Id.

p. 32, l. 41 : *Dagbladet* 12.7.1883.

p. 34, l. 12 : «Sa jeune servante . . .»: *Dagbladet* 22.12. 1883.

p. 38, cit. : Lettre d'E.M. à Olav Paulsen, 30.9. 1884. C. P. Copie au musée Munch.

p. 39, l. 2 : «La banalité et le mauvais goût»: *Dagen* 15.11. 1884.

p. 39, l. 3 : «du niveau de l'ébauche . . .»: *Morgenbladet 4.11.1884.*

p. 39, l. 4 : *Aftenposten* 22. 11. 1884.

p. 39, cit. 1 : Lettre d'E.M. à Olav Paulsen, 14.12.1884. C.P. Copie au musée Munch.

p. 39, l. 19 : «une véritable invasion . . .»: lettre d'Inger Munch à Johan H. Langaard, 7.10.1947.

p. 40, cit. : Lettre d'E.M. à Olav Paulsen, 11.3. 1885. C.P. Copie au musée Munch.

p. 41, cit. 1 : Lettre d'E.M. à Olav Paulsen, 3.4. 1885. C.P. Copie au musée Munch.

p. 41, cit. 2 : Ms musée Munch. N. 59.

p. 42, l. 7 : «Un rien trop arrogant . . .»: *Christiania Intelligenssedler* 28.10.1885.

p. 42, l. 8 : *Aftenposten* 5.11.1885.

p. 42 l. 10 : *Dagen* 7.11.1885.

p. 44, l. 7 : «de ma peinture et de la Critique . . .»: Entretiens avec Munch. Journal de Ludvig Ravensberg. 7 juin 1909. Ms musée Munch.

p. 44, cit. : Ms musée Munch. N 45.

p. 46, l. 13 : «complètement névrotique . . .»: lettre d'E.M. à Jens Thiis, non datée.

p. 46, cit. 1 : Ms musée Munch. N 122.

p. 46, cit. 2 : *Morgenbladet* 9.11. 1886.

p. 47, l. 15 : *Aftenposten* 22.10.1886.

p. 48, cit. 1 : *Morgenposten* 20.10. 1887.

p. 50, l. 7 : «Le soleil d'Osvald»: ms musée Munch. N 45.

p. 52, cit. : *Aftenposten* 5.10. 1888.

p. 52, l. 29 : «tièdes amis . . .»: brouillon de lettre d'E.M. à Jens Thiis.

p. 53, cit. : *Dagbladet* 19.5.1889.

p. 54, cit. : *Verdens Gang* 27.4.1889.

p. 55, l. 14 : *Aftenposten* 27.4.1889.

p. 55, l. 17 : *Dagbladet* 19.5.1889.

p. 57, l. 2 : «en partie des observations psychologiques . . .»: ms musée Munch. N 122.

p. 58, cit. : Ms musée Munch. T 2770.

p. 61, cit. : Ms musée Munch. T 2770.

p. 62, cit. : Ms musée Munch. T 2770.

p. 64, cit. : Brouillon de lettre d'E.M. à Åse Nørregård.

p. 65, cit. : Lettre de Karen Bjølstad à E.M., 5.1.1890. (Publiée dans *Edvard Munchs brev. Familien,* Oslo 1949, no. 74.)

p. 66, cit. : Lettre de Karen Bjølstad à E.M. 18.2.1890.

p. 67, cit. : Ms musée Munch. N 122.

p. 70, cit. : *Verdens Gang* 11.2. 1891.

p. 72, cit. 1 : Ms musée Munch. T 2760.

p. 72, cit. 2 : Ms musée Munch. T 2760.

p. 75, l. 13 : L'article est intitulé *Aften. Dagbladet* 27.11.1891.

p. 81, cit. 1 : Ms musée Munch. T 2760.

p. 81, cit. 2 : Ms musée Munch. T 2761.

p. 82, l. 6 : «Je ne peins pas ce que je vois . . .»: *Livsfrisens tilblivelse,* Oslo 1929.

p. 83, l. 6 : «ce qui pendant plus d'une génération . . .»: ms musée Munch. T 2760, daté Nice 8.1.1892.

p. 83, l. 11 : «Le symbolisme . . .»: ms musée Munch.

p. 83, cit. : Ms musée Munch. T 2728 ag.

p. 85, l. 9 : *Dagbladet* 16.12.1981.

p. 85, l. 16 : «ce qui lui convenait le mieux . . .»: *Dagbladet* 4.1.92.

p. 86, l. 29 : «C'est de la musique . . .»: *Verdens Gang* 27.11.1891.

p. 88, cit. 1 : *Aftenposten* 9.10. 1892.

p. 88, l. 18 : «au même titre qu'une fleur ou une feuille»: *Verdens gang* 19.9.1892.

p. 88, cit.2 : *Dagbladet* 19.9.1892.

p. 91, cit. : Lettre d'E.M. à Karen Bjølstad, 17.11.1892. (Publiée dans *Edvard Munchs brev. Familien,* Oslo 1949, no 129.)

p. 93, *l.* 11 : «les lamentables vieux peintres . . .»: lettre d'E.M. à Karen Bjølstad, non datée. (Publiée dans *Edvard Munchs brev. Familien,* Oslo 1949, no 126.)

p. 94, cit. : Lettre d'E.M. à Johan Rohde, non datée. C.P. Transcription au musée Munch.

p. 96, *l.* 9 : «Presque tout ce que tu vois . . .»: *Morgenposten 16.9.1897.*

p. 97, cit. : Ms musée Munch. T 128.

p. 98, cit. : Lettre d'E.M. à Johan Rohde, non datée. C.P. Transcription au musée Munch.

p. 104, cit. : Brouillon de lettre d'E.M. à Sixten Strömbom.

p. 106, *l.* 7 : «Le Norvégien . . .»: *Die Post* 7.6.1895.

p. 116, cit. : Ms musée Munch. T 2547.

p. 118, cit. : Lettre d'E.M. à Eberhard Grisebach, 1.8.1932. C.P. Copie au musée Munch.

p. 118, *l.* 40 : «de faire avorter ses toiles . . .»: ms musée Munch. N 39.

p. 122, cit. : *Figaro,* Stockholm, 12.10.1884.

p. 130, *l.* 10 : «peindre quelque chose de beau pour Pan.»: lettre de Julius Meier-Graefe à E.M., 23.7.1894.

p. 131, cit. 1 : *Edvard Munch. Acht Radierungen.* Herausg. von J. A. Meier-Graefe. Berlin 1895.

p. 131, cit. 2 : *Berlingske Tidende.* 16.3.1893.

p. 136, cit. : *Aftenposten* 4.10.1895.

p. 137, cit. 1 : Ms musée Munch. T 2759.
p. 137, cit. 2 : Ms musée Munch. N 46.
p. 137, cit. 3 : Ms musée Munch. *Ibsen og Livsfrisen.*

p. 144, *l.* 29 : «l'impressionniste norvégien»: *Mercure de France,* mai 1894, pp. 90 – 91.

p. 144, *l.* 32 : «Il n'est certainement pas possible . . .»: *La Revue Blanche,* 1895, pp. 477 – 478.

p. 146, *l.* 2 : «l'un des plus étonnants tempéraments . . .»: cité dans Ingrid Landgaard, *Edvard Munchs Modningsår,* 1960.

p. 146, cit. : *La Revue Blanche,* 1896, pp. 525 – 526.

p. 148, *l.* 2 : *Mercure de France* juin 1896, pp. 186 – 189.

p. 148, *l.* 7 : *L'Encyclopédie Contemporaine* 10 mai 1896, no 325, p. 75.

p. 153, cit. : *Dagbladet* 15.9.1897.

p. 156, *l.* 3 : «que la boucle à la ceinture»: *Livsfrisen,* 1918.

p. 160, cit. : *Die Insel,* t. 3 – 4, p. 215.

p. 164, cit. : Ms musée Munch. *Det gule huset.*

p. 169, cit. 1 : Brouillon de lettre d'E.M. à Tulla Larsen.
p. 169, cit. 2 : Ms musée Munch. T 2800.

p. 171, cit. : Ms musée Munch. T 2730.

p. 172, cit. 1 : Ms musée Munch. T 2732.
p. 172, cit. 2 : Ms musée Munch. T 2730.

p. 174, cit. 1 : Ms musée Munch. T 2709.
p. 174, cit. 2 : Ms musée Munch. T 2709.

p. 176, cit. : Brouillon de lettre d'E.M. à Høst (?)

p. 180, cit. : *Kunst für Alle,* 1. juillet 1902, p. 458.

p. 181, cit. : Lettre d'E.M. à Andreas Aubert. Collection des manuscrits de la Bibl. de l'Univ. d'Oslo. Copie au musée Munch.

p. 182, cit. : Ms musée Munch. N 179.

p. 185, *l.* 5 : *Aftenposten* 2.10.1902.

p. 202, *l.* 20 : Franz Servaes dans *Neue Freie Presse.* 1.2.1904.
p. 202, *l.* 23 : Cité dans *Morgenbladet* 11.2.1904.

p. 212, cit. : «J'ai peint une nature morte . . .»: cité dans Carl Georg heise, *Der Wagen,* 1927, p. 84.

p. 224, *l.* 1 : Berliner Zeitung 7.10.1907.
p. 224, *l.* 3 : Berliner Børsen Courier 6.10.1907.
p. 224, cit. : Brouillon de lettre à Jens Thiis.

p. 228, *l.* 21 : «. . . ce bataillon de fumistes»: non daté. Coupure d'un article de journal au musée Munch.

p. 230, *l.* 3 : *Sosialistische Monatsheft,* 7e année, Berlin 1903, pp. 440 – 444.
p. 230, *l.* 9 : *Die Zukunft,* t. 55, 1906, pp. 332 – 340.

p. 234, cit. : Ms musée Munch. T 2800 de.

p. 236, cit. : Ms musée Munch. T 2800 bc.
p. 236, *l.* 5 : Lettre d'E.M. à G. Schiefler, non datée. C.P. Copie au musée Munch.

p. 239, *l.* 13 : Lettre d'E.M. à Jappe Nilssen. Publiée dans Erna Holmboe Bang, *Edvard Munch og Jappe Nilssen,* Oslo 1946.

p. 240, *l.* 10 : «ses enfants par la Nature»: Entretiens avec Munch. Journal de Ludwig Ravensberg. 13. juin 1909. Ms musée Munch.

p. 251, *l.* 11 : Cité dans Curt Glaser, *Edvard Munch,* Berlin 1922, p. 192.

p. 252, *l.* 4 : «C'est maintenant l'ère des travailleurs»: lettre d'E.M. à Ragnar Hoppe, fév. 1929. Publiée dans *Nutida Konst,* Stockholm 1939.

p. 256, *l.* 16 : Lettre d'E.M. à H. Esche, 15.12.1910. C. P. Copie au musée Munch.

p. 264, cit. : Lettre d'E.M. à Karen Bjølstad, 31.1.1920 (publiée dans *Edvard Munchs brev. Familien,* Oslo 1949, no 324.)

p. 271, cit. : *Edvard Munch. Mennesket og kunstneren,* Oslo 1946, p. 206.

TABLE DES ILLUSTRA- TIONS

88. HEURE DU SOIR. 1888
   Huile sur toile. 75 × 100 cm. C.P.
89. EDVARD ET SA SŒUR SOPHIE. 1889
   Plume. 210 × 161 mm. T 2761, p. 8.
90. BERTA ET KARLEMANN. 1889
   Plume. 210 × 161 mm. T 2761, p. 6.
91. LE BAL. 1889
   Plume. 210 × 161 mm. T 2761, p. 19.
92. SUR LE SOFA. 1889
   Plume. 210 × 161 mm. T 2761, p. 31.
93. SOIR SUR L'AVENUE KARL JOHAN. 1889
   Plume. 210 × 161 mm. T 2761, p. 33.
94. LE BAL. 1885/89
   Huile sur toile. 29 × 39 cm. C.P.
95. LA PETITE PIANISTE. 1889
   Huile sur toile. 36 × 31,5 cm. M 1107.
96. FEMME NUE SUR LA PLAGE. 1886
   Plume. 140 × 214 mm. T 2272.
97. INGER SUR LA PLAGE. 1889
   Huile sur toile. 126,5 × 162 cm. R.M.S.
98. NU DEBOUT. 1889
   Fusain. 627 × 477 mm. T 1165.
99. NU DEBOUT. 1889
   Fusain. 720 × 496 mm. T 1170.
100. NU COUCHE. 1889
   Fusain. 353 × 565 mm. T 1163.
101. EDVARD MUNCH. Vers 1890
   Photographie.
102. CORBILLARD LE LONG DE LA SEINE,
   St-CLOUD. 1890
   Crayon. 232 × 309 mm. T 126, p. 26.
103. DEVANT LA CHEMINEE. 1890/93
   Crayon et plume. 351x262 mm. T 291A.
104. LA NUIT. 1890
   Huile sur toile. 64,5 × 54 cm. N.G.
105. ESQUISSE POUR LA NUIT. 1890
   Crayon. 232 × 309 mm. T 126, p. 28
106. ETUDE POUR LE VAMPIRE. Vers 1890
   Plume. 197 × 197 mm. T 2354.
107. LA SEINE A ST-CLOUD. 1890
   Huile sur toile. 19 × 33 cm. C.P.
108. LA SEINE A ST-CLOUD. 1890
   Huile sur panneau. 27 × 33 cm. C.P.
109. LA SEINE A ST-CLOUD. 1890
   Huile sur toile. 46,5 × 38 cm. M 1109.
110. LA SEINE A ST-CLOUD. 1890
   Huile sur toile. 61 × 50 cm. C.P.
111. L'AVENUE KARL JOHAN. 1890
   Huile sur toile. 50,5 × 81,5 cm. M 673.
112. LA RUE CHRISTIAN IV SOUS LA PLUIE. 1890/92
   Huile sur toile. 70 × 66 cm. C.P.
113. JOUR DE PRINTEMPS SUR L'AVENUE KARL
   JOHAN. 1890
   Huile sur toile. 80 × 100 cm. Bergen Billedgalleri.
114. L'AVENUE KARL JOHAN SOUS LA PLUIE. 1891
   Huile sur toile. 38 × 55 cm. M 1107.
115. LES BUVEURS D'ABSINTHE. 1890
   Pastel et crayon d'huile sur toile. 58 × 96 cm. C.P.
116. AU CAFE, ST-CLOUD. 1890
   Huile sur toile. 56 × 49 cm. M 251.
117. CHEZ LE MARCHAND DE VIN. 1890
   Pastel sur papier. 48 × 64 cm. Norske Selskab, Oslo.
118. A LA TAVERNE. 1890
   Huile sur toile. 65 × 70,5 cm. Städtische Galerie,
   Frankfurt am Main.
119. PROMENADE DES ANGLAIS, NICE. 1891
   Crayon. 171 × 262 mm. T 129, p. 2.
120. LA PLAGE. NICE. 1892
   Huile sur toile. 46,5 × 69 cm. M 1076.
121. SOUS LES PALMIERS A NICE. 1891

   Huile sur toile. 55 × 46 cm. C.P.
122. RUE LAFAYETTE. 1891
   Huile sur toile. 92 × 73 cm. N.G.
123. RUE DE RIVOLI. 1891
   Huile sur toile. 82,5 × 66,5 cm. Fogg Art Museum.
124. ESQUISSE POUR MELANCOLIE. 1891
   Plume. 172 × 215 mm. T 2760.
125. SUR LA PLAGE. 1891
   Crayon. 150 × 300 mm. N.G.
126. MELANCOLIE. 1891
   Huile sur toile. 73 × 100,5 cm. M 58.
127. MELANCOLIE. 1891
   Huile sur toile. 72 × 98 cm. C.P.
128. ETUDE POUR CLAIR DE LUNE. 1891/92
   Crayon. 262 × 171 mm. T 129, p. 48.
129. ETUDE POUR UNE VIGNETTE. 1891/92
   Crayon. 171 × 262 mm. T 129, p.22.
130. ETUDE POUR UNE VIGNETTE. 1891/92
   Plume. 171 × 262 mm. T 129, p. 40.
131. ETUDE POUR UNE VIGNETTE. 1891/92
   Plume. 171 × 262 mm. T 129, p. 38.
132. ESQUISSE POUR LA ROULETTE. 1892
   Crayon. 117 × 177 mm. T 2865.
133. LA ROULETTE II. 1892
   Huile sur toile. 54 × 65 cm. M 266.
134. LA ROULETTE I. 1892
   Huile sur toile. 72 × 92 cm. C.P.
135. A LA ROULETTE. 1892
   Huile sur toile. 74,5 × 115,5 cm. M 50.
136. DESESPOIR. 1892
   Huile sur toile. 92 × 67 cm. Thielska Galleriet.
137. DESESPOIR. 1891
   Fusain et gouache. 370 × 422 mm. T 2367.
138. SOIR SUR L'AVENUE KARL JOHAN. 1892
   Huile sur toile. 84,5 × 121 cm. R. M.S.
139. SOIR SUR L'AVENUE KARL JOHAN. 1892
   Crayon et crayon noir. 370 × 470 mm. T 2390
140. AUTOPORTRAIT AU MASQUE DE FEMME.
   1891/92
   Huile sur toile. 69 × 43,5 cm. M 229.
141. LE PEINTRE JACOB BRATLAND. 1891/92
   Huile sur toile. 100 × 66 cm. M 998.
142. VISION. 1892
   Plume. 180 × 115 mm. T 2782.
143. VISION. 1892
   Plume. 181 × 116 mm. T 2347.
144. VISION. 1892
   Huile sur toile. 72 × 45 cm. M 114.
145. BJÖRNSON DANS LA VIE CULTURELLE
   NORVEGIENNE. 1891
   Encre de Chine. 216 × 350mm. T 1312.
146. BJÖRNSON DANS LA VIE CULTURELLE
   NORVEGIENNE. 1891
   Encre de Chine. 221 × 353 mm. T 1311.
147. IMPRESSION NOCTURNE AU BATEAU BLANC.
   1890
   Lavis d'encre de Chine. 235 × 350 mm. C.P.
148. IMPRESSION NOCTURNE AU BATEAU BLANC.
   1890
   Crayon et aquarelle. 186 × 146 mm. T 306.
149. IMPRESSION NOCTURNE. NORDSTRAND. 1890
   Crayon et aquarelle. 229 × 151 mm. T 2275.
150. MELANCOLIE. 1891
   Plume. 136 × 210 mm. T 2355.
151. FEMME EN BLANC SUR LA PLAGE. 1891
   Plume. 150 × 210 mm. C.P.
152. LE MYSTERE D'UNE NUIT. 1892
   Huile sur toile. 86,5 × 124,5 cm. C.P.
153. CLAIR DE LUNE SUR LA PLAGE. 1892
   Huile sur toile. 62,5 × 96 cm. R.M.S.

154. LES ESSEULES. 1891
   Huile. Toile disparue lors d'un incendie à bord du
   navire Alf en 1901. Photographie. 1892/93.
155. EQUITABLE PALAST, BERLIN. 1892
   Photographie.
156. INGER MUNCH. 1892
   Huile sur toile. 172 × 122,5 cm. N.G.
157. CARICATURE PARUE DANS LE JOURNAL
   SATIRIQUE ULK, BERLIN, 18.11.1892, no 47
158. HOLGER DRACHMANN. 1893
   Détrempe sur panneau. 72 × 54,5 cm. M 985.
159. GUNNAR HEIBERG. 1892
   Pastel sur toile. 73,5 × 59,5 cm. C.P.
160. »ADIEU«. 1889
   Crayon. 270 × 205 mm. T 2356.
161. LE BAISER. 1892
   Huile sur toile. 73 × 92 cm. N.G.
162. DAGNY JUEL PRZYBYSZEWSKA. 1893
   Huile sur toile. 148,5 × 99,5 cm. M 212.
163. STANISLAW PRZYBYSZEWSKI. 1893/95
   Détrempe sur panneau. 62 × 55 cm. M 134.
164. CLAIR DE LUNE. 1893
   Huile sur toile. 140,5 × 135 cm N.G.
165. LA TEMPETE. 1893
   Huile sur toile. 91,5 × 131 cm. The Museum of
   Modern Art, New York.
166. FEMME A L'AUREOLE. 1893
   Crayon et aquarelle. 633 × 398 mm. T 2432.
167. NUIT D'ETOILES. 1893
   Huile sur toile. 135 × 140 cm. C.P.
168. LE COUPLE ET L'ARTISTE. 1893
   Plume. 139 × 190 mm. T 1244.
169. DEVANT LA CHEMINEE. 1893
   Plume. 109 × 199 mm. T 1990.
170. THEMES PICTURAUX. 1893?
   Crayon et encre de Chine. 325 × 500 mm.
   T 1398.
171. LE BAISER. LE COUPLE. 1893
   Plume. 182 × 230 mm. T 360.
172. LE LENDEMAIN. 1893
   Plume. 116 × 177 mm. T 2348.
173. FEMME (ETUDE POUR MADONE). 1893
   Plume. 181 × 115 mm. T 1246.
174. THEMES PICTURAUX. 1893
   Plume, crayon et aquarelle. 218 × 300 mm.
   T 1380.
175. FEMME ENTRE UN JEUNE HOMME ET UN
   VIEILLARD. 1893
   Crayon et encre de Chine. 270 × 120 mm. T 1377.
176. AUGUST STRINDBERG. 1892
   Huile sur toile. 120 × 90 cm. Moderna Museet,
   Stockholm.
177. LE CAFE ZUM SCHWARZEN FERKEL. 1893
   Crayon. 210 × 330 mm. C.P.
178. LA MERE MORTE. 1893
   Huile sur panneau. 58 × 77,5 cm. M 756.
179. ESQUISSE POUR LA MORT A LA BARRE.
   1891/92
   Plume. 170 × 270 mm. T 129, p. 35.
180. LA MERE MORTE. 1893
   Huile sur toile. 73 × 94,5 cm. M 516.
181. LA MORT A LA BARRE. 1893
   Huile sur toile. 100 × 120,5 cm. M 880.
182. JEUNE HOMME ET PROSTITUEE. 1893
   Fusain et encre de Chine. 177 × 114 mm.
   T 380.
183. JEUNE HOMME ET PROSTITUEE. 1893
   Fusain et gouache. 500 × 478 mm. T 2445.
184. ROSE ET AMELIE. 1893
   Huile sur toile. 78 × 109 cm. R.E.S. A216

185. ETUDE. 1893
Crayon. 298 × 220 mm. C.P.
186. LA MORT DANS LA CHAMBRE DE MALADE.
1893
Pastel sur panneau. 91 × 109 cm. M 214.
187. LA MORT DANS LA CHAMBRE DE MALADE.
1893
Huile sur toile. 134,5 × 160 cm. M 418.
188. COMME UNE MADONE. 1893/94
Fusain et crayon de couleur. 615 × 470 mm.
T. 2449. Dessin de la couverture du roman de
Stanislaw Przybyszewski «La vigile», 1894.
189. MADONE. 1893/94
Huile sur toile. 90 × 68,5 cm. M 68.
190. MADONE. 1895?
Huile sur toile. 100 × 70 cm. C.P.
191. MADONE. 1895?
Huile sur toile. 90 × 71 cm. Hamburger Kunsthalle.
192. LE VAMPIRE. 1893
Pastel sur panneau. 57 × 75 cm. M 122 A.
193. LE VAMPIRE. 1893/94
Huile sur toile. 91 × 109 cm. M 679.
194. LE LENDEMAIN. 1894
Huile sur toile. 115 × 152 cm. N.G.
195. L'ATELIER DE MUNCH A BERLIN. 1894
Photographie.
196. SEPARATION. 1894
Huile sur toile. 115 × 150 cm. M 884.
197. ETUDE POUR MADONE. 1893
Crayon et plume. 350 × 263 mm. T 291.
198. ETUDE POUR MADONE. 1893
Fusain. 738 × 598 mm. T 2430.
199. LES MAINS. Vers 1893
Aquarelle et crayon de couleur. 268 × 326 mm. T
2292.
200. LES MAINS. Vers 1893
Huile sur panneau. 91 × 77 cm. M 646.
201. LES MAINS. Vers 1893
Crayon noir et huile. 675 × 452 mm. T 2442.
202. LA VOIX. 1893/96
Crayon et crayon de couleur. 415 × 500 mm.
T 329.
203. LA VOIX. 1893/96
Crayon et aquarelle. 500 × 647 mm. T 2373.
204. LA VOIX. 1893
Huile sur toile. 87,5 × 108 cm. Museum of Fine Arts,
Boston.
205. LA VOIX. Vers 1893
Huile sur toile. 90 × 118,5 cm. M 44.
206. JEUNE FEMME EN PLEURS. 1894
Fusain. 491 × 696 mm. T 262.
207. CONSOLATION. 1894
Fusain. 479 × 630 mm. T 2458.
208. PUBERTE. 1893
Huile sur toile. 149 × 112 cm. M 281.
209. SEPARATION/PARAPHRASE DE SALOME.
1895/96
Crayon, aquarelle et plume. 205 × 260 mm.
T 337.
210. SEPARATION. Vers 1896
Huile sur toile. 96,5 × 127 cm. M 24.
211. ROUGE ET BLANC. 1894
Huile sur toile. 93 × 124,5 cm. M 460.
212. LA FEMME (PARAPHRASE DE SALOME). 1894
Crayon. 305 × 460 mm. T 2762.
213. LA FEMME. 1893/94
Huile sur toile. 72,5 × 100 cm. M 57.
214. LA FEMME. 1894
Huile sur toile. 164 × 250 cm. R.M.S.
215. VERS LA FORET. Env. 1895

Crayon, plume et aquarelle. 321 × 174 mm.
T 354.
216. PUBERTE. 1894
Huile sur toile. 151,5 × 110 cm. N.G.
217. LE LENDEMAIN. 1895
Eau-forte. 191 × 277 mm. Schiefler 15.
218. LES ESSEULES. 1895
Eau-forte. 236 × 314 mm. Schiefler 20.
219. STANISLAW PRZYBYSZEWSKI. 1895?
Détrempe sur toile. 75 × 60 cm. M 618.
220. JULIUS MEIER-GRAEFE. Vers 1895
Huile sur toile. 100 × 75 cm. N.G.
221. JALOUSIE. 1895
Huile sur toile. 67 × 100 cm. R.M.S.
222. CENDRES. 1896
Lithographie colorée à, la main. 302 × 426 mm. C.P.
223. IMAGES DE L'AMOUR. 1895/96
Encre de Chine et aquarelle. 247 × 630 mm.
T 384.
224. SCULPTURE POUR UN JARDIN. 1896
Encre de Chine. 175 × 116 mm. T 399.
225. AUTOPORTRAIT A LA CIGARETTE. 1895
Huile sur toile. 110,5 × 85,5 cm. N.G.
226. PARAPHRASE DE SALOME. 1894/98
Aquarelle, encre de Chine et crayon. 460 × 326 mm. T
369.
227. AUTOPORTRAIT AU BRAS DE SQUELETTE.
1895
Lithographie.455/60 × 317/20 mm. Schiefler 31.
228. NU DE DOS. 1896
Huile sur panneau. 65 × 49,5 cm. R.M.S.
229. MODELE ASSIS. 1896
Fusain, crayon et aquarelle. 620 × 477 mm.
T 2459.
230. MODELE ASSIS. Vers 1897
Aquarelle et gouache. 568 × 421 mm. T 489.
231. AUTOPORTRAIT A LA LYRE. 1896/97
Encre de Chine, aquarelle et gouache. 685 × 525 mm.
T 2460.
232. BOULEVARD PARISIEN. 1896/97
Huile sur toile. 97 × 130 cm. M 388.
233. ETUDE POUR LE BOIS GRAVE LE BAISER. Vers
1897
Encre de Chine. 250 × 199 mm. T 278.
234. ETUDE POUR LE BAISER. Vers 1895
Crayon. 189 × 289 mm. T 362.
235. LE BAISER. 1892
Huile sur toile. 72 × 59,5 cm. C.P.
236. LE BAISER. 1897
Huile sur toile. 99 × 81 cm. M 59.
237. LE BAISER. 1893/97
Détrempe et huile sur toile. 87 × 80 cm. M 64.
238. LA JEUNE FILLE ET LA MORT. Vers 1893
Huile sur toile. 128,5 × 86 cm. M 49.
239. LA SIRENE. 1896
Aquarelle et encre de Chine. 150 × 542 mm. T 320.
240. HALL DE LA VILLA D'AXEL HEIBERG
Photographie.
241. PAUL HERMANN ET PAUL CONTARD. 1897
Huile sur toile. 54 × 73 cm. Kunsthistorisches
Museum, Wien.
242. «UNE CHAROGNE». 1896
Crayon et encre de Chine. 261 × 226 mm.
T 403.
243. LE BAISER. 1896
Crayon et encre de Chine. 290 × 205 mm.
T 404.
244. «LE MORT JOYEUX». 1896
Crayon et encre de Chine. 281 × 205 mm. T 402.
245. AFFICHE POUR «PEER GYNT». 1896

Lithographie. 250 × 298 mm. Schiefler 74.
246. AFFICHE POUR «JOHN GABRIEL BORKMAN».
1897
Lithographie. 320 × 208 mm. Schiefler 171A.
247. FECONDITE. 1898
Huile sur toile. 120 × 140 cm. C.P.
248. METABOLISME. Vers 1899
Encre de Chine, fusain et gouache. 647 × 497 mm. T
2447.
249. MUNCH ET TULLA LARSEN. 1899
Photographie.
250. METABOLISME. 1899
Huile sur toile. 172,5 × 142 cm. M 419.
251. NUIT D'ETOILES. 1901.
Huile sur toile. 59 × 73 cm. Museum Folkwang,
Essen.
252. NUIT BLANCHE. 1901
Huile sur toile. 115 × 110 cm. N.G.
253. NUIT D'HIVER. 1900/1901
Huile sur toile. 80,5 × 120,5 cm. Kunsthaus Zürich.
254. LA FUMEE DU TRAIN. 1900
Huile sur toile. 84,5 × 109 cm. M 1092.
255. L'AUTOMNE. 1897/98
Hulie sur toile. 66,5 × 66 cm. M 336.
256. VIGNE VIERGE ROUGE. 1898/1900
Huile sur toile. 119,5 × 121 cm. M 503.
257. LA MERE MORTE ET l'ENFANT. 1899/1900
Huile sur toile. 100 × 90 cm. Kunsthalle Bremen.
258. LA MERE MORTE ET L'ENFANT. 1896/99
Crayon et fusain. 500 × 650 mm. T 301.
259. LA MERE MORTE ET L'ENFANT. 1897/99
Huile sur toile. 104,5 × 179,5 cm. M 420.
260. MELANCOLIE (LAURA). 1895
Plume. 475 × 322 mm. T 261.
261. MELANCOLIE (LAURA). 1895
Plume et crayon. 253 × 180 mm. T 254.
262. TABLEAU DE FAMILLE. 1898/1900
Fusain et huile. 478 × 321 mm. T 294.
263. MELANCOLIE (LAURA). 1899
Huile sur toile. 110 × 126 cm. M 12.
264. LA CROIX VIDE. 1899/1901
Encre de Chine et gouache. 452 × 499 mm. T 2547,
p. 54.
265. LA CROIX VIDE. 1899/1901
Encre de Chine. 498 × 645 mm. T 375.
266. LA CROIX VIDE. 1899/1901
Encre de Chine et aquarelle. 431 × 627 mm. T 2452.
267. GOLGOTHA. 1900
Huile sur toile. 80 × 120 cm. M 36.
268. LA DANSE DE LA VIE. 1899
Encre de Chine. 325 × 477 mm. T 2392.
269. LA DANSE DE LA VIE. 1899
Huile sur toile. 125,5 × 190,5 cm. N.G.
270. HEREDITE. 1897/99
Fusain. 603 × 391 mm. T 422.
271. HEREDITE. 1897/99
Aquarelle et crayon noir. 445 × 307 mm. T 2852.
72. ETUDE POUR HEREDITE. 1893 ou 1894
Crayon noir. 320 × 450 mm. T 2357.
273. HEREDITE I. 1897/99
Huile sur toile. 141 × 120 cm. M 11.
274. MADONE AU CIMETIERE. 1896
Encre de Chine, aquarelle et crayon de couleur.
560 × 448 mm. T 2364.
275. DANSE SUR LA PLAGE. 1900/1902
Huile sur toile. 99 × 96 cm. Narodni Galerie, Praha.
276. TULLA LARSEN. 1899
Huile sur toile. 119 × 60,5 cm. M 740.
277. P.H. BEYER & SOHN, LEIPZIG. 1903
Photographie.

278. P. H. BEYER & SOHN, LEIPZIG. 1903
Photographie.
279. ATTRACTION I. 1895
Eau-forte. 314 × 240 mm. Schiefler 17.
280. LES YEUX DANS LES YEUX. 1894
Huile sur toile. 136 × 110 cm. M 502.
281. LIT DE MORT. 1895
Huile sur toile. 90 × 120,5 cm. R.M.S.
282. ANGOISSE. 1894
Huile sur toile. 94 × 73 cm. M 515.
283. EDVARD MUNCH DANS SON ATELIER DE
LUTZOWSTRASSE 82, BERLIN. 1902
Photographie.
284. MODELE DANS L'ATELIER DE MUNCH A
LUTZOWSTRASSE 82, BERLIN. 1902
Photographie.
285. ALBERT KOLLMAN. 1902
Huile sur toile. 81,5 × 65,5 cm. Kunsthaus Zürich.
286. SENTEUR DE CADAVRE. 1898/1901
Huile sur toile. 100 × 110 cm. M 34.
287. SENTEUR DE CADAVRE. 1900/1902
Détrempe sur panneau. 55 × 79 cm. M 248.
288. LE CORBILLARD SUR POTSDAMER PLATZ.
1902
Détrempe sur toile. 110 × 166 cm. M 736.
289. LES DAMES SUR L'EMBARCADERE. 1902
Huile sur toile. 184 × 205 cm. Bergen Billedgalleri.
290. NOURRICES DEVANT LA COUR D'ASSISES.
1902
Détrempe sur toile. 111 × 170 cm. M 809.
291. PROJET. 1898/1901
Crayon, encre de Chine et aquarelle. 553 × 534 mm. T
332.
292. LE DEPART DU CERCUEIL. 1898/1901
Huile sur panneau. 99 × 70 cm. M 489.
293. JEUNES FILLES AU BAIN. 1901/1902
Huile sur toile. 68 × 97 cm. M 475.
294. LE PECHEUR. Vers 1902
Huile sur toile. 89 × 61 cm. M 475.
295. MUNCH AVEC SA PLAQUE DE CUIVRE ET SON
ECHOPPE CHEZ LE DOCTEUR LINDE. 1902
Photographie.
296. LA PLUIE. 1902
Huile sur toile. 86,5 × 115,5 cm. N.G.
297. LES JEUNES FILLES SUR LE PONT. 1899/1901
Huile sur toile. 136 × 125,5 cm. N.G.
298. FORET DE THURINGE. Vers 1905
Huile sur toile. 80 × 100 cm. M 688.
299. AUTOUR DE LA TABLE. 1906
Huile sur toile. 76 × 96 cm. M 181.
300. LES QUATRE FILS DU DOCTEUR LINDE. 1903
Huile sur toile. 144 × 199,5 cm. Museum Behnhaus,
Lübeck.
301. QUATRE PETITES FILLES A ÅSGÅRDSTRAND.
1902
Huile sur toile. 89,5 × 125,5 cm. Staatsgalerie,
Stuttgart.
302. DEUX PETITES FILLES EN TABLIER BLEU.
1904/05
Huile sur toile. 115 × 93 cm. M 278.
303. LES DAMES SUR l'EMBARCADERE. 1903
Huile sur toile. 203 × 230 cm. Thielska Galleriet.
304. HARRY GRAF KESSLER. 1904.
Huile sur toile. 86 × 75 cm. C.P.
305. LE CONSUL CHRISTEN SANDBERG. 1901
Huile sur toile. 215 × 147 cm. M 3.
306. HERMAN SCHLITGEN (L'ALLEMAND). 1904
Huile sur toile. 200 × 119,5 cm. M 367.
307. LE DOCTEUR MAX LINDE EN TENUE DE
MARIN. 1904

Huile sur toile. 133 × 81 cm. R.E.S. A 74.
308. COUPLE AMOUREUX DANS LE PARC, FRISE
LINDE. 1904
Huile sur toile. 91 × 170,5 cm. M 695.
309. ETE DANS LE PARC. FRISE LINDE. 1904
Huile sur toile. 91 × 172 cm. M 13.
310. HOMMES AU BAIN. 1904
Huile sur toile. 194x290 cm. M 901.
311. CLAIR DE LUNE SUR LA PLAGE. 1904/05
Huile sur toile. 90 × 65 cm. M 174.
312. NU A LA COUVERTURE ROUGE. 1902
Huile sur toile. 81 × 65 cm. Staatsgalerie, Stuttgart.
313. NOEL DANS LE BORDEL. 1904/05
Huile sur toile. 60 × 88 cm. M 148.
314. LE DEPART DU CERCUEIL II. 1904/05
Huile sur toile. 80 × 60 cm. M 208.
315. FRIEDRICH NIETZSCHE. 1906/07
Huile sur toile. 200 × 130 cm. M 724.
316. LES ENFANTS DE HERBERT ESCHE. 1905
Huile sur toile. 147 × 153 cm. C.P.
317. MADAME ESCHE ET L'UN DE SES ENFANTS.
1905
Huile sur toile. 67,5 × 52,5 cm. C.P.
318. WALTHER RATHENAU. 1907
Huile sur toile. 220 × 110 cm. R.M.S.
319. HARRY GRAF KESSLER. 1906
Huile sur toile. 200 × 84 cm. Nationalgalerie, Berlin.
320. LUDVIG KARSTEN. 1905
Huile sur toile.194 × 91 cm. Thielska Galleriet.
321. AUTOPORTRAIT AU VIN. 1906
Huile sur toile. 110,5 × 120,5 cm. M 543.
322. AUTOPORTRAIT AUX PINCEAUX. 1904
Huile sur toile. 197 × 91,5 cm. M 751.
323. TROIS FEMMES SUR LA PLAGE. 1906/07
Détrempe sur toile. 90 × 70 cm. M 98.
324. DESIR. 1906/07
Détrempe sur toile. 90 × 248 cm. M 720.
325. DECOR POUR UNE SCENE DE «HEDDA
GABLER». 1906
Détrempe et crayon de couleur sur panneau. 73 × 102
cm. OKK M 224.
326. SCENE DES «REVENANTS». 1906
Huile sur toile. 60 × 102 cm. M 983.
327. NATURE MORTE (LA MEURTRIERE). 1906
Huile sur toile. 110 × 120 cm. M 544.
328. LA MORT DE MARAT I. 1907
Huile sur toile. 150 × 200 cm. M 351
329. «LE PENSEUR» DANS LE JARDIN DU
DOCTEUR LINDE. 1907
Huile sur toile. 122 × 78 cm. Musée Rodin, Paris.
330. LUBEKERHAFEN. 1907
Huile sur toile. 81,5 × 122 cm. Kunsthaus Zürich.
331. AM HOLSTENTOR. 1907.
Huile sur toile. 84 × 130 cm. Nationalgalerie, Berlin.
332. HOMMES AU BAIN. 1907
Huile sur toile. 206 × 227 cm. Konstmuseet i
Ateneum, Helsingfors.
333. MUNCH SUR LA PLAGE A WARNEMUNDE.
1907
Photographie.
334. FEMMES ET ENFANTS A WARNEMUNDE.
1907/08
Fusain et aquarelle. 493 × 370 mm. T 2260.
335. VIEIL HOMME A WARNEMUNDE. 1907
Huile sur toile. 110 × 85 cm. M 491.
336. NU A LA FENETRE. 1907/09
Fusain, aquarelle et gouache. 609 × 493 mm.
T 2457.
337. MODELE EN PEIGNOIR. 1906/07
Fusain, aquarelle et gouache. 981 × 608 mm. T 813.

338. FEMME EN PLEURS. 1906/07
Huile sur toile. 109 × 149 cm. M 689.
339. ZUM SUSSEN MADEL. 1907
Huile sur toile. 85 × 131 cm. M 551.
340. DESIR. 1907
Huile sur toile. 85 × 130 cm. M 552.
341. HAINE. 1907
Huile sur toile. 47 × 60 cm. M 625.
342. JALOUSIE. 1907
Huile sur toile. 89 × 82 cm. M 573.
343. CONSOLATION. 1907
Huile sur toile. 90 × 109 cm. M 45.
344. AMOUR ET PSYCHE 1907
Huile sur toile. 119,5 × 99 cm. M 48.
345. LA MORT DE MARAT. 1907
Huile sur toile. 152 × 149 cm. M 4.
346. LES SŒURS MEISZNER. 1907
Crayon de couleur. 312 × 470 mm. T 139, p. 22.
347. LE MAÇON ET LE MECANICIEN. 1908
Huile sur toile. 90 × 69,5 cm. M 574.
348. LE PETIT GARÇON NOYE. 1908
Huile sur toile. 85 × 130 cm. M 559.
349. ENFANTS ET CANARDS. 1905/08
Huile sur toile. 100 × 105 cm. M 548.
350. TRAVAILLEURS QUI MARCHENT. 1907/08
Fusain et aquarelle. 312 × 470 mm. T 139, p. 8.
351. LE TRAVAILLEUR ET L'ENFANT. 1908
Crayon noir. 557 × 798 mm. T 1853.
352. LE TRAVAILLEUR ET L'ENFANT. 1908
Huile sur toile. 76 × 90 cm. M 563.
353. AUTOPORTRAIT A LA CIGARETTE. 1908/09
Crayon. 240 × 300 mm.T 2391.
354. AUTOPORTRAIT. 1909
Huile sur toile. 100 × 110 cm. R.M.S.
355. LE PROFESSEUR DANIEL JACOBSON. 1909
Huile sur toile. 204 × 111,5 cm. OKK M 359 A.
356. «LE PROFESSEUR JACOBSON TRAITE A
L'ELECTRICITE LE CELEBRE PEINTRE
MUNCH..» 1908/09
Plume. 137 × 212 mm T 1976.
357. LE SOLEIL. Vers 1912
Huile sur toile. 163 × 205,5 cm. M 262.
358. VERS LA LUMIERE. Vers 1909
Aquarelle et crayon de couleur. 568 × 777 mm. T
1740.
359. JAPPE NILSSEN. 1909
Huile sur toile. 193 × 94,5 cm. M8.
360. TRAVAUX DE PRINTEMPS DANS LES ILES.
1910
Huile sur toile. 92 × 116 cm. M 411.
361. HIVER A KRAGERÖ. 1912
Huile sur toile. 131,5 × 131 cm. M 392.
362. PAYSAGE D'HIVER. KRAGERÖ. 1910
Huile sur toile. 94 × 96 cm. R.E.S. A 12.
363. CHEVAL AU GALOP. 1910/12
Crayon de couleur. 402 × 274 mm. T 161, p. 19.
364. CHEVAL AU GALOP. 1910/12
Huile sur toile. 148 × 119,5 cm. M 541
365. LA DEMOLITION DU BATEAU. Vers 1912
Huile sur toile. 100 × 110 cm. M 439.
366. HOMME EN NOIR ET HOMME EN BLANC
DANS LA NEIGE. Vers 1911
Huile sur toile. 59 × 52 cm. M 926.
367. LE MEURTRIER. 1910
Huile sur toile. 94,5 × 154 cm. M 793.
368. LA FORET. Esquisse. 1910/11
Crayon 246 × 355 mm. T 162, p. 11.
369. LE BUCHERON. 1913
Huile sur toile. 130 × 105,5 cm. M 385.
370. LE TRONC D'ARBRE JAUNE. 1911/12

Huile sur toile. 131 × 160 cm. M 393.
371. PLEIN ETE II. 1915
Huile sur toile. 95 × 119,5 cm. M 282.
372. VAGUES BATTANT LES ROCHERS. Vers 1916
Huile sur toile. 100 × 72 cm. M 197.
373. LA VAGUE. 1921
Huile sur toile. 100 × 120 cm. M 558.
374. LABOUR DE PRINTEMPS. 1916
Huile sur toile. 84 × 109 cm. M 330.
375. HOMME AU BAIN. 1918
Huile sur toile. 138 × 199,5 cm. M 364.
376. TRAVAILLEURS DANS LA NEIGE. 1913/14
Huile sur toile. 163 × 200 cm. M 371.
377. LE RETOUR DES TRAVAILLEURS. 1913/15
Huile sur toile. 201 × 227 cm. M 365.
378. BJÖRNSTJERNE BJÖRNSON S'ADRESSANT A
LA FOULE. 1908/09
Huile sur toile. 73x68,5 cm. M 987
379. BJÖRNSTJERNE BJÖRNSON S'ADRESSANT A
LA FOULE. 1908/09
Huile sur toile. 145 × 226 cm. M 716.
380. PREMIER PROJET POUR L'HISTOIRE. 1909
Aquarelle. 93 × 158 cm. M 1072.
381. L'HISTOIRE. 1910/11
Huile sur toile. 72 × 125 cm. Université d'Oslo.
382. PUBERTE. Vers 1914
Huile sur toile. 97 × 76,5 cm. M 450.
383. ARBRES MOURANTS. Vers 1923
Aquarelle. 490 × 370 mm. R.E.S. A 90.
384. ARBRES MOURANTS. Vers 1923
Huile sur toile. 120 × 106 cm. M 308.
385. HOFFSALLEEN. 1890
Grayon de conleur. 213 × 279 mm. T 171, p. 63 R.
386. LE MEURTRIER DANS L'ALLEE. 1919
Huile sur toile. 110 × 138 cm. M 268.
387. PROJET DE BATIMENT DECORE PAR LA FRISE
DE LA VIE. 1910
Crayon. 290 × 224 mm. T 2753A.
388. HOMME ET FEMME. 1912/15
Aquarelle et fusain. 599 × 796 mm. T 1362.
389. SCENE EROTIQUE. Vers 1913
Grayon noir. 265 × 368 mm. T 196, p. 9.
390. SCENE EROTIQUE. Vers 1913
Grayon noir. 272 × 401 mm. T 175, p. 30.
391. SCENE EROTIQUE. Vers 1913
Grayon noir. 272 × 401 mm. T 175, p. 42.
392. HOMME ET FEMME I. Vers 1912
Huile sur toile. 68 × 89,5 cm. M 594.
393. HOMME ET FEMME II. Vers 1912
Huile sur toile. 89 × 115,5 cm. M 760.
394. L'ARTISTE ET SON MODELE I. 1919/21
Huile sur toile. 134 × 159 cm. M 75.
395. NU PRES DU FAUTEUIL EN OSIER. 1919/21
Huile sur toile. 122,5 × 100 cm. M 499.
396. NU AGENOUILLE. 1921
Aquarelle. 352 × 503 mm. R.E.S. B 124.
397. MODELE SE DESHABILLANT. Vers 1925
Crayon de couleur et aquarelle. 253 × 257 mm. T
2464.
398. NUIT D'ETOILES. 1923/24
Huile sur toile. 139 × 119 cm. M 9.
399. LE PROMENEUR DE LA NUIT. 1923/24
Huile sur toile. 89,5 × 67,5 cm. M 589
400. LE PROMENEUR DE LA NUIT, ESQUISSES.
1923/24
Crayon noir. 299 × 237 mm. T 246, p. 3, p.2.
401. LA MORT DU BOHEME. 1917/18
Huile sur toile. 110 × 245 cm. M 377.
402. LE MARIAGE DU BOHEME. 1925
Huile sur toile. 138 × 181 cm. M 6.

403. AUTOPORTRAIT. Vers 1926
Crayon de couleur. 401 × 269 mm. T 2395.
404. BIRGITTE PRESTÖE. Vers 1930
Aquarelle. 348 × 247mm. T 2465.
405. MODELE ASSIS. 1925 − 26
Huile sur toile. 100 × 80 cm. M 479.
406. VIEILLARD ET FEMME. Vers 1925
Aquarelle. 601 × 467 cm. T 1359.
407. JALOUSIE. 1933/35
Huile sur toile. 78 × 114 cm. M 562.
408. DAMES SUR L'EMBARCADERE. Vers 1935
Huile sur toile. 119,5 × 129,5 cm. M 30.
409. L'ARTISTE ET SON ŒIL MALADE. 1930/31
Crayon de couleur. 502 × 315 mm. T 2152.
409a. L'ŒIL MALADE DE L'ARTISTE AVEC LA
CATARACTE. 1930/31
Crayon de couleur. 222 × 180 mm. T 2138.
410. LA RETINE DE L'ARTISTE. 1930/31
Aquarelle et crayon. 497 × 471 mm. T 2156.
411. MAISON ROUGE ET SAPINS. Vers 1927
Huile sur toile. 100 × 130 cm. M 549.
412. NU ASSIS: AUTOPORTRAIT. 1933/34
Crayon et aquarelle. 700 × 862 mm. T 2462.
413. MARAT ET CHARLOTTE CORDAY. 1933/35
Huile sur toile. 80 × 120 cm. M 311.
414. FEMME ET HOMME NU. CHARLOTTE
CORDAY. 1933/35
Aquarelle, fusain et crayon de couleur. 615 × 688 mm.
T 483.
415. AUTOPORTRAIT. 1940/44
Plume. 274 × 215 mm. T 2003.
416. ENTRE LE LIT ET L'HORLOGE. 1940/42
Huile sur toile. 149,5 × 120,5 cm. M 23.
417. AUTOPORTRAIT. 1940/44
Plume. 227 × 175 mm. T 2296.
418. «A DEUX HEURES UN QUART DU MATIN».
1940/44
Gouache. 515 × 645 mm. T 2433.
419. AUTOPORTRAIT. Vers 1940
Plume. 276 × 215 mm. T 2294.
420. AUTOPORTRAIT. 1940/44
Huile sur toile. 57,5 × 78,5 cm. M 611.
421. AUTOPORTRAIT A LA FENETRE. Vers 1940
Huile sur toile. 84 × 107,5 cm. M 446.

· Illustration de la couverture:
CENDRES. 1925
Huile sur toile. 140 × 200 cm. M 417.
· Illustration du dos de la couverture:
PROMENADE DE PRINTEMPS. 1916/18
Huile sur toile. 120 × 140 cm. M 414.

· R.E.S. Legs de Rolf E. Stenersen à la ville d'Oslo.
N.G. Galerie Nationale, Oslo.
R.M.S. Collections Rasmus Meyer, Bergen.
· Les numéros d'inventaire sont ceux du musée Munch.

BIBLIOGRA-PHIE

Etablie par Sissel Biørnstad.

ASKELAND, Jan. Angstmotivet i Edvard Munchs kunst. *Kunsten i dag,* 1966, n° 4. (Résumé en anglais)

AUBERT, Andreas. Universitetets nye festsal. *Kunst og Kultur.* 1911, pp. 166 — 78.

BANG, Erna Holmboe. *Edvard Munch og Jappe Nilssen. Etterlatte brev og kritikker.* Oslo 1946.

— *Edvard Munchs kriseår. Belyst i brever.* Oslo 1963.

BARILLI, Renato. Hodler e Munch dal naturalismo. *L'Arte Moderna,* Milan 1967, pp. 201 — 240.

BENESCH, Otto. *Edvard Munch.* Cologne 1960.

— Edvard Munchs tro. *Oslo kommunes kunstsamlinger. Årbok 1963,* pp. 9 — 23. (Résumé en allemand.)

BERG, Knut. Edvard Munch. *Norges kunsthistorie,* t. 5. Oslo 1981, pp. 228 — 42.

BISANZ, Hans. *Edvard Munch und seine Bedeutung für den mittel-europäischen Expressionismus.* Thèse de doctorat. Universität Wien 1959.

— Edvard Munch og portrettkunsten i Wien. *Oslo kommunes kunstsamlinger. Årbok 1963,* pp. 68 — 101. (Résumé en allemand.)

BLOMBERG, Erik. Munch flyttar hem från Tyskland. *Konstrevy* 1939, n°. 1, pp. 14 — 16.

BOE, Roy A. «Jealousy», an Important Painting by Edvard Munch. *The Minneapolis Institute of Arts Bulletin,* Jan. — Feb. 1956.

— *Edvard Munch: His life and Work from 1880 to 1920.* 2 t. Thèse de doctorat. New York University 1971.

BOCK, Henning. Farbe als Ausdruck: Zur Deutung von Bildern Edvard Munch. Voir *Edvard Munch. Probleme — Forschungen — Thesen,* pp. 69 — 76.

BRENNA, Arne. Hans Jægers fengselsfrise. *St. Hallvard* 1972, pp. 238 — 66.

— Hans Jæger og Edvard Munch, I og II. *Nordisk Tidskrift,* 1976, pp. 89 — 115, 188 — 215.

— Edvard Munchs arbeiderbilder 1909 — 1915. *Kunst og Kultur,* 1978, pp. 197 — 220.

BURKHARTDT, Hans. Angst und Eros bei Edvard Munch. *Deutsches Ärzteblatt,* 1965, pp. 1098 — 2101.

BUSCH, Günther. Über Gegenwart und Tod. Edvard Munch und Paula Modershhn-Becker. Voir *Edvard Munch. Probleme — Forschungen — Thesen,* pp. 161 — 176.

BÜTTNER, Erich. Dans: *Thiis, Jens. Edvard Munch.* Mit einem Nachwort von Erich Büttner. Berlin 1934.

BÖTTGER, Herbert. Edvard Munch und dr. Max Linde. *Bayerische Therapeutische Berichte,* Leverkusen 1963, pp. 99 — 102.

CARSTENSEN, Richard. Edvard Munchs Kinderbilder. Dans: *Der Wagen,* Lübeck 1980, pp. 44 — 62.

CASSOU, Jean. Munch i Frankrike. *Oslo kommunes kunstsamlinger. Årbok* 1963, pp. 1 — 14. (Egalement en français.)

COLDITZ, Herman. *Kjærka. Et atelier-interiør.* Copenhague 1888. (Munch apparaît dans le roman sous le personnage de Nansen.)

DEDEKAM, Hans. Edvard Munch. Dans: *Kunst og Kultur. Studier og afhandlinger Lorentz Dietrichson tilegnet i anl. af hans 75-aarige fødselsdag fra Kunsthistorisk forening,* Kristiania 1908, pp. 288 — 310.

DEDICHEN, Jens. *Tulla Larsen og Edvard Munch.* Oslo 1981.

DEKNATEL, Frederick B. *Edvard Munch.* New York 1950.

— A Selection of Color Prints of Edvard Munch with Excerpts from Edvard Munch. *Print Review,* New York 1975, pp. 4 — 7.

DIGBY, George Wingfield. *Meaning and Symbol in three Modern Artists. Edvard Munch, Henry Moore, Paul Nàsh.* Londres 1955.

DITTMANN, Reidar. *Eros and Psyche. Strindberg and Munch in the 1890's.* Ann Arbor 1982.

DOBAI, Johannes. Randbemerkungen zum Thema der Erotik bei Munch und einigen Zeitgenossen. Voir *Edvard Munch. Probleme — Forschungen — Thesen,* pp. 77 — 98.

DORRA, Henri. Munch, Gauguin and Norwegian Painters in Paris. *Gazette des Beaux Arts,* nov. 1976, pp. 175 — 80.

EGGUM, Arne. Edvard Munch i Danmark. *Louisiana Revy,* Copenhague 1975, n°. 1, pp. 23 — 27.

— Munch and America. Dans: *Edvard Munch, the Major Graphics.* Catalogue. Smithsonian Institution Travelling Exhibition Service 1976 — 1978, pp. 80 — 84.

— Munchs sena livsfris: Det gröna rummet; Sovrummet; Kristiania-bohemen; En fris för en aula. Dans: *Edvard Munch.* Catalogue. Liljevalchs och Kulturhuset, Stockholm, mai 1977, pp. 19 — 26, 62 — 82, 104 — 110, 116 — 119, 124 — 130. (Egalement en anglais.)

— *Die Brücke — Edvard Munch.* Catalogue. Munchmuseet, okt. — nov. 1978. (Egalement en allemand.)

— Edvard Munch. Identitetskrise og dødsangst i en gruppe tegninger. Dans: Edvard Munch. Tegninger og akvareller. Catalogue. Kunstforeningen, København, okt. 1979, pp. 7 — 15.

— Munch's Self-Portaits; The Major Paintings; The Theme of Death, Dans: *Edvard Munch. Symbols & Images.* Catalogue. National Gallery of Art, Washington, Nov. 1978 — Feb. 1979, pp. 11 — 33, 33 — 77, 143 — 185.

— James Ensor and Edvard Munch. Mask and Reality. Dans: *James Ensor, Edvard Munch, Emil Nolde.* Catalogue. Norman McKenzie Art Gallery, Regina, Canada, March — April 1980, pp. 21 — 30.

— Eventyrskogen. Dans: *Edvard Munch og hans billeder fra eventyrskoven.* Catalogue. Kastrupgårdsamlingen, Copenhague, sept. — okt. 1979.

— *Frederick Delius og Edvard Munch.* Catalogue. Munch-museet, april — mai 1979.

— Einleitungen zu den Themen und Variationen, Eine Einfürhrung in seinen Hintergrund und seine Voraussetzugen; Das Todesthema bei Edvard Munch. Dans: *Edvard Munch. Liebe, Angst, Tod.* Catalogue. Kunsthalle Bielefeld, 1980, pp. 17 — 281, 283 — 295, 335 — 375.

— Edvard Munchs tidlige barneportretter. *Kunst og Kultur,* 1980, pp. 241 — 256.

— Le Fauvisme et Edvard Munch. Dans: *Edvard Munch, peintures 1900 — 1906.* Catalogue. La Bibliothèque

Royale, Bruxelles, Mai — Juin 1981, pp. 6 — 21.

— *Alfa & Omega.* Catalogue. Munch-museet, mars — mai 1981. (Egalement en anglais et allemand.)

— The Landscape Motif in Munch's Art. Dans: *Munch Exhibition.* Catalogue. National Museum of Modern Art, Tokio 1981, pp. 246 — 251.

— *Der Linde-Fries. Edvard Munch und sein erster deutscher Mäzen, Dr. Max Linde.* Der Senat der Hansestadt Lübeck — Amt für Kultur, Veröffentlichung XX. Lübeck 1982.

— Munch and Photography. Dans: Martin Friedman. *The Frozen Image. Scandinavian Photography.* Minneapolis 1982, pp. 108 — 114.

— Litteraturen om Edvard Munch gjennom nitti år. *Kunst og Kultur,* 1982, pp. 270 — 279.

EKELØF, Gunnar. Edvard Munch. Reflexioner med anledning av utställningen i Konstakademien. *Konstrevy,* 1937, pp. 79 — 83.

ESSWEIN, Hermann. *Edvard Munch.* Munich 1905.

FELLER, Gerd Udo. Die Bilder Edvard Munchs als Bühne der Innewelt betrachtet. Dans: *Liebe, Angst, Tod.* Catalogue. Kunsthalle Bielefeld, 1980, pp. 445 — 463.

FILLA, Emil. Tsjekkerne og Edvard Munch. *Kunst og Kultur,* 1939, pp. 65 — 71.

FISENNE, Otto von. Edvard Munch in Travemünde. *Schleswig-Holstein Monatsschrift,* 1976, n°. 2, pp. 35 — 36.

FORSSMAN, Erik. «Alpha und Omega», Edvard Munch als Erzähler, Dans: *Bild und Gedanke, Festschrift für Gerhart Baumann.* Munich 1980, pp. 120 — 132.

FOY, James. Psychotic Painting and Psychotic Painters. Dans: *Aisthesis and Aesthetics,* éd. par Erwin W. Straus and Richard M. Griffith. Pittsburg 1970, pp. 286 — 321.

GAUGUIN, Pola. Grafikeren Edvard Munch. 2 t. (t. 1: *Tresnitt og raderinger.* t. 2: *Litografier.)* Trondheim 1946.

— *Edvard Munch.* Oslo 1933.

GÉRARD, Edouard. [Sur les œuvres de Munch exposées au Salon des Indépendants.] *La Presse,* Paris, mai 1897.

GERKENS, Gerhard. Munch und Vuillard. Voir *Edvard Munch. Probleme — Forschungen — Thesen,* pp. 133 — 146.

GERLACH, Hans Egon. Edvard Munch, sein Leben unde sein Werk, Hambourg 1955.

GIERLØFF, Christian. *Edvard Munch selv.* Oslo 1953.

GLASER, Curt. Edvard Munchs Wandgemälde für die Universität in Kristiania. *Zeitschrift für Bildende Kunst.* Sonderdruck. Leipzig 1914.

— *Edvard Munch.* Berlin 1917.

GLØERSEN, Inger Alver. *Den Munch jeg møtte.* Oslo 1963.

— *Lykkehuset.* Oslo 1970.

GRAN, Henning. Munch gjennom Werenskiolds briller. *Kunsten Idag,* 1951, n°. 1.

— Edvard Munchs møte med norsk kritikk. *Kunst og Kultur,* 1963, pp. 205 — 226.

GREVE, Eli. *Liv og verk i lys av tresnittene.* Oslo 1963.

GUENTHER, Peter W. *Edvard Munch.* Catalogue. The Sarah Campbell Blaffer Gallery, Houston, April — May 1976.

— Edvard Munch und der symbolismus. Dans: *Edvard Munch, Liebe, Angst, Tod.* Catalogue. Kunsthalle Bielefeld, 1980, pp. 387 — 392.

HALS, Harald. Edvard Munch. *Tidssignaler,* Christiania 23. nov. 1895.

— Edvard Munch og Åsgårdstrand. Dans: *Vestfold Minne,* t. 5. Tønsberg 1946, pp. 65 — 79.

— *Edvard Munch og byen. Oslo-bilder fra kunstnerens ungdom.* Oslo 1955.

HAMBERG, Lars. Edvard Munchs läsupplevelser. *Finsk Tidskrift,* 1970, pp. 445 — 455.

— Bildande konst og drama. Någre reflexioner kring Edvard Munch. *Finsk Tidskrift,* 1977, pp. 406 – 417.

HAUGHOLT, Karl. Omkring Edvard Munchs tegninger fra Maridalen. *St. Hallvard,* 1959, pp. 220 – 224.

HAUPTMAMM, Ivo. Minner om Edvard Munch. *Oslo kommunes kunstsamlinger. Årbok* 1963, pp. 62 – 67.

HEDBERG, Thor. Munchs grafikk. Utställning i Nationalmuseums gravyrsal 3. feb. 1929. Dans son ouvrage: *Konst och litteratur. Uppsatser och kritiker i Dagens Nyheter åren 1921 – 31.* Stockholm 1939, pp. 95 – 98.

HEERE, Heribert. Edvard Munch. Ein Naturalist der Seele? Dans: *Edvard Munch, Liebe, Angst, Tod.* Catalogue. Kunsthalle Bielefeld, 1980, pp. 393 – 405.

HEILBUT, Emil. Die Sammlung Linde in Lübeck. *Kunst und Künstler,* Berlin, Okt. 1903 und Mai 1904.

HEISE, Carl Georg. Edvard Munch und seine Beziehungen zu Lübeck. *Der Wagen,* Lübeck 1927.

— *Die vier Søhne des Dr. Max Linde.* Stuttgart 1962.

— Der Augenarzt und der Maler. *Merian,* Hambourg, juni 1964, pp. 28 – 33.

HELLER, Reinhold. Strømpefabrikanten, van de Velde og Edvard Munch. *Kunst og Kultur,* 1968, pp. 89 – 104.

— *Edvard Munch's Life Frieze. Its Beginnings and Origins.* Thèse de doctorat. Indiana University, 1969.

— «Affæren Munch», Berlin 1892 – 93. *Kunst og Kultur,* 1969, pp. 175 – 191.

— The Iconography of Edvard Munch's «The Sphinx». *Art Forum,* New York, Oct. 1979, pp. 72 – 80.

— Edvard Munch's «Vision» and the Symbolist Swan. *Art Quartely,* Detroit, 1973, pp. 209 – 249.

— *The Scream.* Londres 1973.

— Love as a Series of faintings. Dans: *Edvard Munch. Symbols & Images.* Catalogue. National Gallery of Art, Washington, Nov. 1978 – Feb. 1979, pp. 87 – 111.

— Edvard Munch's «Night», the Aesthetics of Decadence, and the Content of Biography. *Arts Magazine,* New York, Oct. 1978, pp. 80 – 105.

History of Modern Art, t. 2: *Matisse, Munch, Rouault.* Genève, Skira, 1949 – 50.

HJORT, Øystein. Munch og Obstfelder. En norsk halfemserparallel. *Louisiana Revy,* okt. 1975, pp. 33 – 36.

HODIN, J. P. Et møte med Edvard Munch. *Konstrevy,* 1939, pp. 9 – 13.

— August Strindberg om Edvard Munch. *Konstrevy,* 1940, pp. 199 – 202.

— *Edvard Munch. Der Genius des Nordens.* Stockholm 1948.

— Edvard Munch and Depth Psychology. *The Norseman,* 1956, n°. 1, pp. 27 – 37.

— *Edvard Munch.* Londres 1972.

HOFER, Gunter. Edvard Munch. «Anziehung» und «Loslösung». Dans: *Edvard Munch, Liebe, Angst, Tod.* Catalogue. Kunsthalle Bielefeld, 1980, pp. 307 – 314.

HOFMANN, Werner. Zu einem Bildmittel Edvard Munchs. *Alte und Neue Kunst. Wiener Kunstwissenschaftliche Blätter,* 1954, n°. 1, pp. 20 – 40.

HOPPE, Ragnar. Hos Edvard Munch på Ekely: *Nutida Konst,* 1939, n°. 1, pp. 8 – 19.

HOUGEN, Pål. *Farge på trykk.* Catalogue. Munch-museet, 1968.

— Kunstneren som stedfortreder. *Höjdpunkter i norsk konst. Årsbok för statens konstsamlingar,* 15. Stockholm 1968, pp. 123 – 140.

— Om Livsfrisen. Dans: *Edvard Munch og den tsjekkiske kunst.* Catalogue. Munch-museet, feb. – april 1971, pp. 41 – 45.

— *Edvard Munch. Tegninger, skisser og studier.* Catalogue. Munch-museet, feb. – april 1973.

— *Edvard Munch og Henrik Ibsen.* Catalogue. Vestlandske Kunstindustrimuseum, Bergen mai – juni 1975. (En allemand dans: *Munch und Ibsen.* Catalogue. Kunsthaus Zürich, Feb. – April 1976. En anglais dans: *Edvard Munch and Henrik Ibsen.* Catalogue. St. Olaf College, Northfield, Minnesota, March – April 1978.)

— Edvard Munchs grafik. *Louisiana Revy,* okt. 1975, pp. 28 – 32.

— *Edvard Munch. Handzeichnungen.* Berlin 1976.

HUGGLER, Max. Die Überwindung der Lebensangst im Werk von Edvard Munch. *Confinia Psychiatrica,* Berne 1958, n°. 1, pp. 3 – 16.

HUNTLEY, G. Haydn. Munch and Ensor. *Gazette des Beaux Arts,* New York 1943, n°. 922, pp. 363 – 374.

INADOMI, Masahiko. *Edvard Munch.* Tokyo 1980.

JAWORSKA, Wladyslawa. Munch and Przybyszewski. *Polish Perspectives,* 1972, n°. 12, pp. 61 – 72. (En allemand dans: *Edvard Munch. Probleme – Forschungen – Thesen,* pp. 47 – 68.)

JENSEN, Jens Christian, *Klinger und Munch.* Catalogue. Kunsthalle zu Kiel, april – mai 1978.

— *Edvard Munch. Gemälde und Zeichnungen aus einer norwegischer Privatsammlung.* Catalogue. Kunsthalle zu Kiel, 1979.

JOHANSEN, R. Broby. Edvard Munch. *Samleren.* Copenhague 1926, n°. 10, pp. 173 – 178.

JUSTI, Ludwig. Dans: *Edvard Munch.* Catalogue. Nationalgalerie, Berlin 1927, pp. 3 – 9.

KISCH-ARNDT, Ruth. A Portrait of Felix Auerbach by Munch. *The Burlington Magazine,* London, march 1964, pp. 131 – 133.

KOKOSCHKA, Oskar. Edvard Munchs ekspresjonisme. *Kunst og Kultur,* 1952, pp. 129 – 150.

— *Der Expressionismus Edvard Munchs.* Vienne, Linz, Munich 1953.

KOTALIK, Jiro. *Edvard Munch a ceské umeni.* Catalogue. Narodni Gallerie, Prague 1982.

KRANTZ, Lars. Edvard Munch och Jugendstilen. *Paletten,* Göteborg, 1947, n°. 2., pp. 19 – 20.

KRAUSE-ZIMMER, Helga. Edvard Munch im Hause Linde. *Die Drei,* Stuttg. 1979, pp. 713 – 719.

KRESS, Annelise. Van Gogh and Munch. *Bulletin of the Rijksmuseum Vincent van Gogh,* Amsterdam 1975, n° 3, pp. 27 – 40.

KRIEGER, Peter. Edvard Munch und Berlin. Dans: *Edvard Munch. Aquarelle und Zeichnungen aus dem Munch-museet.* Catalogue. Nationalgalerie, Berlin, Feb. – März 1971, pp. 8 – 15.

— *Edvard Munch. Der Lebensfries.* Catalogue. Nationalgalerie, Berlin, Feb. – April 1978.

KRINGLEN, Einar. Edvard Munch. A Psychiatric Outline. Dans: *Psychiatry, Genetics and Pathography. A tribute to Eliot Slater,* éd. par Martin Roth and Valerie Cowie. Londres 1979, pp. 75 – 84.

KROHG, Christian. *Kunstnere,* t. 2. Christiania 1892, pp. 21 – 26.

— *Kampen for tilværelsen,* t. 1. Copenhague 1920, pp. 186 – 205.

KRUSKOPF, Erik. *Edvard Munch och Finland.* Munch-museets skrifter, 4. Oslo 1968.

KULTERMANN, Udo. La bataille des sexes. Le thème du baiser dans l'œuvre d'Edvard Munch. *Art Press,* Paris 1974, n°. 11, pp. 4 – 7.

LANGAARD, Ingrid. *Edvard Munch. Modningsår.* Oslo 1960.

LANGAARD, Johan H. *Edvard Munchs selvportretter.* Oslo 1947.

— Edvard Munchs formler, et lite forsøk på en formanalyse. *Samtiden,* 1949, pp. 50 – 60.

— Om Edvard Munchs bekjentskap med August Strindberg. *Vinduet,* 1948, n°. 8., pp. 595 – 601.

— et Reidar Revold. *Edvard Munch som tegner.* Oslo 1958.

— et Reidar Revold. *Edvard Munch. Auladekorasjonene.* Oslo 1960.

— et Reidar Revold. *Edvard Munch. Fra år til år. En håndbok.* Oslo 1961.

— et Reidar Revold. *Mesterverker i Munch-museet.* Oslo 1963.

LARSSON, Sven. *Konstnärens öga.* Stockholm 1965.

LATHE, Carla. *The group Zum schwarzen Ferkel. A Study in Early Modernism.* Thèse de doctorat. University of East Anglia, Norwich 1972.

— Edvard Munch and the Concept of «Psychic Naturalism». *Gazette des Beaux Arts,* New York 1979, pp. 135 – 146.

— *Edvard Munch and his Literary Associates.* Catalogue. University of East Anglia, Norwich June – Oct. 1979.

LEISTIKOW, Walter, pseud. Walter Selber. Die Affäre Munch. *Freie Bühne,* Berlin 31.8.1982, pp. 1296 – 1300.

LEXOW, Einar. Edvard Munch og Tyskland. *Kunst og Kultur,* 1913, pp. 125 – 128.

LINDE, Brita. *Ernest Thiel och hans konstgalleri.* Stockholm 1969.

LINDE, Max. *Edvard Munch und die Kunst der Zukunft.* Berlin 1902.

— *Edvard Munchs brev. Fra dr. med. Max Linde.* Munch-museets skrifter, 3. Oslo 1954.

LINDSTRÖM, Göran. Edvard Munch i Strindbergs «Inferno». *Ord och Bild,* 1955, pp. 129 – 143.

LØCHEN, Rolf. Skikkelser i Bohemetiden. *Byminner,* 1970, n°. 1, pp. 3 – 23.

— Nytt om Edvard Munch og hans krets. *Byminner,* 1971, n°. 4, pp. 5 – 29.

MARTEN, Miloš. *Edvard Munch.* Prague 1905.

MEIER-GRAEFE, Julius. Voir Przybyszewski.

— [Introduction à une série de 8 eaux-fortes de Munch.] Berlin 1895.

MAEŸER, Lise de. Ensor og Munch, paralleller. Dans: *James Ensor.* Catalogue. Munch-museet 1982, pp. 9 – 31.

MESSER, Thomas M. *Edvard Munch.* New York 1973.

MIDBØE, Hans. *Max Reinhardts iscenesettelse av Ibsens «Gespenster» i Kammerspiele des Deutschen Theaters Berlin 1906. Dekor – Edvard Munch. Det Kgl. N. Vid. Selskabs skrifter,* 4. Trondheim 1969,

MOEN, Arve. *Edvard Munch.* 3 t. (T. 1: *Samtid og miljø.* T. 2: *Kvinnen og Erod.* T. 3: *Landskap og dyr.)* Oslo 1956 – 58.

MOHR, Otto Lous. *Edvard Munchs Auladekorasjoner i lys av ukjente utkast og sakens akter.* Oslo 1960.

MUNCH, Edvard. *Livs-frisen.* Kristiania [1918].

— *Livsfrisens tilblivelse.* Kristiania [1929?].

— Små utdrag av min dagbok. Dans *Edvard Munch* Catalogue. Blomqvist, Oslo 1929.

— Mein Freund Przybyszewski. *Pologne Littéraire,* 15 décembre 1928.

— *Edvard Munch – Dr. Max Linde. Briefwechsel 1902 – 1928.* Herausg. von Gustav Lindtke. Senat der Hansestadt Lübeck – Amt für Kultur, Veröffentlichung VII. Lübeck [1974].

Edvard Munchs brev. Familien. Et utvalg av Inger Munch. Munch-museets skrifter, 1. Oslo 1949.

Edvard Munch. Mennesket og kunstneren. Par Karl Stenerud et al. Kunst og Kulturs serie. Oslo 1946.

Edvard Munch. Probleme – Forschungen – Thesen. Herausg. von Henning Bock und Günther Busch. Munich 1973.

Edvard Munch i tysk kunstkritikk. Par J. Meier-Graefe et al. *Kunst og Kultur,* 1927, pp. 111 – 128.

Edvard Munch som vi kjente ham. Vennene forteller. Par K. E. Schreiner et al. Oslo 1946.

Munchs konkurranseutkast til Universitetets festsal. Catalogue. Dioramalokalet, Kristiania, aug. 1911.

MUTHER, Richard. *Geschichte der Maleri,* t. 3. Leipzig 1909.

MYRE, Olav. *Edvard Munch og hans boksamling.* Oslo 1946.

NATANSON, Thadée. Correspondance de Kristiania. *La Revue Blanche,* Paris, 15. nov. 1895, pp. 477 – 478.

NERGAARD, Trygve. Edvard Munchs visjon. Et bidrag til Livsfrisens historie. *Kunst og Kultur,* 1967, pp. 69 – 92.

— *Refleksjon og visjon. Naturalismens dilemma i Edvard Munchs kunst, 1889 – 1894.* Thèse de maîtrise. Oslo 1968.

— Emanuel Goldstein og Edvard Munch. *Louisiana revy,* okt. 1975, pp. 16 – 18.

— Kunsten som det evig kvinnelige, en vampyr-gåte. *Kunst og Kultur,* 1974, pp. 251 – 262.

— Despair. Dans: *Edvard Munch. Symbols & Images.* Catalogue. National Gallery of Art, Washington, Nov. 1978 – Feb. 1979, pp. 113 – 141.

NILSSEN, Jappe. *Edvard Munch. A/S Freia Chokoladefabriks Spisesalsdekorasjoner.* Kristiania 1922.

NORDENFALK, Carl. Apropos Munch utställningen. *Konstperspektiv,* Stockholm 1947, n°. 1, pp. 3 – 7.

NORDHAGEN, Per Jonas. Impresjonismen og det moderne bymennesket. *Kunst og Kultur,* 1968, pp. 129 – 150.

— L'Art officiel og Skandinavia. *Kunst og Kultur,* 1970, pp. 235 – 250.

— I grenseland. Edvard Munchs «Dansemoro». *Kunst og Kultur,* 1982, pp. 47 – 53.

NUMMELIN, Rolf. Edvard Munch och traditionen. *Finsk tidskrift,* Åbo 1964, n°. 1, pp. 42 – 50.

NÆSS, Trine. Edvard Munch og Den fri kjærligheds by». Kunst og Kultur, 1973, pp. 145 – 160.

OBSTFELDER, Sigbjørn. Edvard Munch. Et forsøg. *Samtiden,* 1896, pp. 17 – 22.

Oslo kommunes kunstsamlinger. Årbok 1952 – 1959. Oslo 1960.

— *Årbok 1963. Edvard Munch 100 år.* Oslo 1963.

PASTOR, Willy. Voir Przybyszewski.

PERLS, Hugo. Erindringer om Edvard Munch. *Kunst og Kultur,* 1962, pp. 27 – 46.

PLATHER, Leif. Det syke barn og Vår. En røntgenundersøkelse av to Munch-bilder. *Kunst og Kultur,* 1974, pp. 103 – 115.

PRESTØE, Birgit. Småtrekk om Edvard Munch. *Kunst og Kultur,* 1946, pp. 205 – 216.

PRZYBYSZEWSKI, Stanislaw. *Das Werk des Edvard Munch, Vier Beiträge* von Stanislaw Przybyszewski, Dr. Franz Servaes, Willy Pastor, Julius Meier-Graefe. Berlin 1894.

— Erinnerungen an das literarische Berlin. Munich 1965.

Quickborn. Berlin 1897, n°. 4. [Texte de Strindberg ill. d'Edv. Munch.]

RASCH, Wolfdietrich. Edvard Munch und das literarische Berlin der neunziger Jahre. Voir *Edvard Munch. Probleme – Forschungen – Thesen,* pp. 14 – 24.

RAVE, Paul Ortwin. Munch in Berlin. Dans son ouvrage: *Kunst in Berlin,* Berlin 1965, pp. 176 – 185.

READ, Herbert. Edvard Munch. *Oslo kommunes kunstsamlinger. Årbok 1963,* pp. 56 – 61. (Egalement en anglais.)

REVOLD, Reidar. Omkring en motivgruppe hos Edvard Munch. *Oslo kommunes kunstsamlinger. Årbok 1952 – 59,* pp. 38 – 50.

— Voir Langaard et Revold, 1958, 1960, 1961, 1963.

— Edvard Munch und Deutschland. *Jahrbuch der Stiftung Preussischer Kulturbesitz.* Berlin 1966, pp. 225 – 236.

RITTER, William. *Etudes d'Art Étranger.* Paris 1906, pp. 81 – 122.

ROHDE, H. P. Edvard Munch på klinikk i København. *Kunst og Kultur,* 1963, pp. 259 – 270.

ROMDAHL, Axel. Edvard Munch som expressionist. *Tidskrift för Konstvetenskap,* 1947, pp. 165 – 168.

ROSENBLUM, Robert. Munch and Hodler. Dans son ouvrage: *Modern Painting and the Northern Romantic Tradition,* Londres 1975.

RUSSEL, John. The Meaning of Modern Art. New York 1981, pp. 74 – 80.

SARVIG, Ole. *Edvard Munchs Grafik.* Copenhague 1948, 1965, 1980.

— Edvard Munchs Grafik. Stranden. *Louisiana revy,* okt. 1975, p. 12.

SHERMAN, Ida. Edvard Munchs «Alma Mater». Tretti år i kamp med et motiv. *Kunst og Kultur,* 1975, pp. 137 – 153.

— Edvard Munch og Félicien Rops. *Kunst og Kultur,* 1976, pp. 243 – 258.

SCHIEFLER, Gustav. *Verzeichnis des graphischen Werks Edvard Munch.* 2 t. T. 1: Berlin 1907. T. 2: Berlin 1928. Oslo 1974.

— *Edvard Munchs Graphische Kunst.* Dresde 1923.

— *Meine Graphiksammlung.* Ergänzt und herausg. von Gerhard Schach. Hambourg 1974.

SCHJELDAHL, Peter. Munch the Missing Master. Art in America, Mai/June 1979, pp. 80 – 95.

SCHMOLL, J. A., gen. Eisenwerth. *Malerei nach Fotografie.* Munich 1970, pp. 125 – 131.

— Munchs fotografische Studien. Voir *Edvard Munch. Probleme – Forschungen – Thesen.* pp. 181 – 225.

— Munch und Rodin. Voir *Edvard Munch. Probleme – Forschungen – Thesen,* pp. 14 – 24.

SCHNEEDE, Uwe. Edvard Munch. Leidenschaftliche Anstrengung zur Identität. Dans: *Edvard Munchs Arbeiterbilder 1910 – 1930.* Catalogue. Kunstverein in Hamburg, Mai – Juli 1978, pp. 7 – 15.

SCHULTZE, Jürgen. Beobachtungen zum Thema «Munch und der deutsche Expressionismus». Voir *Edvard Munch. Probleme – Forschungen – Thesen,* pp. 147 – 160.

SELZ, Jean. *Edvard Munch.* Paris 1974.

SERVAES, Franz. Von der «Freien» Kunstausstellung. *Die Gegenwart,* T. 43 1893, pp. 398.

— Voir Przybyszewski.

SKREDSVIG, Christian. *Dage og nætter blandt Kunstnere.* Oslo 1943, pp. 147 – 154.

SMITH, John Boulton. Edvard Munch og Frederick Delius. *Kunst og Kultur,* 1965, pp. 137 – 158.

— *Munch.* Oxford, New York 1977.

— *Frederick Delius and Edvard Munch. Their Friendship and their Correspondence.* Londres 1983.

SPALA, Vaclav. Et minne om Edvard Munch. *Kunst og Kultur,* 1939, pp. 72 – 75.

SPRINGER, Jaro. Die Freie Berliner Kunstausstellung. *Kunst für Alle,* Munich 15. Mai 1893, pp. 314 – 315.

STABELL, Waldemar. Edvard Munch og Eva Mudocci. *Kunst og Kultur,* 1973, pp. 209 – 236.

STANG, Nic. *Edvard Munch.* Oslo 1971.

STANG, Ragna. *Edvard Munch. Mennesket og kunstneren.* Oslo 1977.

— The Aging Munch, New Creating Power. Dans: *Edvard Munch. Symbols & Images.* Catalogue. National Gallery of Art, Washington, Nov. 1978 – Feb. 1979, pp. 77 – 85.

STEINBERG, Stanley and Joseph Weiss. The Art of Edvard Munch and its Function in his Mental Life. *The Psychoanalytic Quarterly,* New York 1954, n°. 3, pp.

409 – 423.

STENERSEN, Rolf E. *Edvard Munch. Nærbilde av et geni.* Oslo *1946.*

STENERUD, Karl. Edvard Munchs testamente. *Kunst og Kultur,* 1946, pp. 73 – 78.

STRINDBERG, August. L'exposition d'Edvard Munch. *Revue Blanche,* Paris, 1896, pp. 525 – 526.

STRUCK, Hermann. *Die Kunst des Radierens.* Berlin 1908.

STUBBE, Wolf. Den sørgende pike var ikke sørgmodig. *Kunst og Kultur,* 1972, pp. 105 – 108.

— Munchs Bild-Ideen und die Technik seiner Druckgraphik. Voir *Edvard Munch. Probleme – Forschungen – Thesen,* pp. 177 – 186.

SVEDFELT, Torsten. Strindberg, Munch og Quickborn. *Bokvännen,* Stockholm 1969, n°. 3, pp. 51 – 56.

SVENÆUS, Gösta. *Idé och innehåll i Edvard Munchs konst.* Oslo 1953,

— Trädet på berget. *Oslo kommunes kunstsamlinger, Årbok 1963,* pp. 24 – 46. (Résumé en allemand.)

— *Edvard Munch. Das Universum der Melancholie.* Lund 1968.

— Strindberg och Munch i Inferno. *Kunst og Kultur,* 1967, pp. 1 – 30.

— Munch og Strindberg. Quickborn-episoden, 1898. *Kunst og Kultur,* 1969, pp. 13 – 36.

— *Edvard Munch. Im Männlichen Gehirn.* 2 t. Lund 1973.

— Der heilige Weg, Nietzshe-Fermente in der Kunst Edvard Munchs. Voir *Edvard Munch. Probleme – Forschungen – Thesen,* pp. 25 – 46.

SØRENSEN, Gunnar. Vitalismens år? *Cras,* Copenhague 1981, n°. 26, pp. 26 – 42.

THAULOW, Fritz. *I kamp og fest.* Kristiania/Copenhague 1908.

THIIS, Jens. *Norske malere og billedhuggere,* t. 2. Bergen 1904, pp. 413 – 441.

— Kunstutstilling i Køln. *Kunst og Kultur,* 1911/12, pp. 234 – 237.

— Malerkunsten i det 19. og 20. aarhundrede. Dans: *Norsk Kunsthistorie,* t. 2, Oslo 1927, pp. 389 – 598.

— *Edvard Munch og hans samtid. Slekten, livet og kunsten.* Oslo 1933.

THUE, Oscar. Edvard Munch og Christian Krohg. *Kunst og Kultur,* 1937, pp. 237 – 256.

TIMM, Werner. *Edvard Munch, Graphik.* Berlin 1969.

TORJUSEN, Bente. *Edvard Munch och den tsjekkiske kunst.* Catalogue. Munch-museet, feb. – juni 1971.

— Edvard Munchs utstilling i Praha, 1905. *Kunsten i dag,* n°. 3, pp. 5 – 55. Résumé en anglais.

— The Mirror. Dans: *Edvard Munch. Symbols & Images.* Catalogue. National Gallery of Art, Washington, Nov. 1978 – Feb. 1979, pp. 185 – 227.

URBAN, Martin. Munch and Nolde. Dans: *Munch/Nolde.* Catalogue. London, July – August 1969, pp. 8 – 9.

VALSECCHI, Marco. Edvard Munch & James Ensor. Dans son ouvrage: *Maestri moderni.* Milan 1957, pp. 154 – 165.

VARNEDOE, Kirk. Christian Krohg and Edvard Munch. *Arts magazine,* april 1979.

VRIESEN, Gustav. Munch und die Brücke. *Die Schanze,* Münster 1951, n°. 1, pp. 5 – 7.

WARTMANN, W. Edvard Munch, der Graphiker. *Graphis,* Zürich, Jan. – März 1945, pp. 3 – 27.

WEISNER, Ulrich. Munchs Inszenierung symbolischer Konstellation. Dans: *Edvard Munch. Liebe, Angst, Tod.* Catalogue. Kunsthalle Bielefeld, 1980, pp. 433 – 444.

WERENSKIOLD, Marit. Die Brücke und Edvard Munch. *Zeitschrift des deutschen Verein für Kunstwissenschaft,* T. XXVIII, Berlin 1974, n°. 1 – 4, pp. 140 – 152.

WICHSTRØM, Anne. Asta Nørregaard og den unge Munch. *Kunst og Kultur,* 1982, pp. 66 – 77.

WILLOCH, Sigurd. *Edvard Munchs raderinger*. Préface de
Johan H. Langaard. Munch-museets skrifter, 2. Oslo
1950.

WILSON, Mary Gould. *Edvard Munch, a Study of his Form
Language*. Thèse de doctorat Northwestern University,
Evanston, 1973.

WINTER, Gundolf. Sinnbindlichkeit als Bildsinn. Zum
Gestaltungskonzept des frühen Munch. Dans: *Edvard
Munch. Liebe, Angst, Tod*. Catalogue. Bielefeld
Kunsthalle, 1980, pp. 407 — 432.

WOLL, Gerd. *Edvard Munchs arbeiderfrise*. Thèse de
maîtrise, Oslo, 1972.

— Munch's graphic art. Dans: *Edvard Munch, the Major
Graphics*. Catalogue. Smithsonian Institution Travelling
Exhibition Service, 1976 — 78, pp. 17 — 20.

— Nu är det arbetarnas tid. Dans: *Edvard Munch*.
Catalogue. Liljevalchs och Kulturhuset, Stockholm,
mars — maj 1977, pp. 137 — 141. (Egalement en
anglais.).

— Kunst, krig og revolusjon. Dans: *Die Brücke — Edvard
Munch*. Munch-museet, okt. — nov. 1978. pp. 49 — 57.
(Egalement en allemand.).

— The Tree of Knowledge of Good and Evil. Dans:
Edvard Munch. Symbols & Images. Catalogue. National
Gallery of Art, Washington, Nov. 1978 — Feb. 1979,
pp. 229 — 248.

— Landskaber, modelstudier og arbejdermotiver. Dans:
Edvard Munch, tegninger og akvareller. Catalogue.
Kunstforeningen, København, okt. — nov. 1979, pp.
29 — 33.

— «Angst findet man bei ihm überall». Dans: *Edvard
Munch. Liebe, Angst, Tod*. Catabogue. Kunsthalle
Belefeld, 1980, pp. 315 — 334.

— Alfa og Omega-mappen; Dyr og Mennesker; Vignetter
og trykk fra Munchs hemmelige presse. Dans: *Alfa &
Omega*. Catalogue. Munch-museet, mars — mai 1981,
pp. 8 — 10, 55 — 56, 89.

— «Edvard Munch's Graphic Work». Dans: *Munch
exhibition*. Catalogue. National Museum of Modern
Art. Tokio 1981, pp. 253 — 259.

WYLIE, Harold W. and Mavis Wylie. Edvard Munch.
American Imago 1980, n°. 4, pp. 413 — 443.

ØSTBY, Leif. *Fra naturalisme til nyromantikk*. Oslo 1934,
pp. 125 — 134.

— *Norges Billedkunst i det 19. og 20. århundrede*, t. 1, Oslo
1951, pp. 369 — 408.

— Edvard Munch slik samtiden så ham. *Kunst og Kultur,*
1963, pp. 243 — 256.

— Et Edvard Munch-motiv. *Kunst og Kultur,* 1966, pp.
151 — 158.

BIBLIOGRAPHIES

MULLER, Hanna B. Edvard Munch. A Bibliography. *Oslo
kommunes kunstsamlinger. Årbok 1946 — 1951.*

Munch-bibliografi. Et supplement. *Oslo kommunes
kunstsamlinger. Årbok 1952 — 1959.*

GRISEBACH, Lucius. Munch-Bibliographie. Voir *Edvard
Munch. Probleme — Forschungen — Theser*. pp.
227 — 236.